Reading
Mentor
joy
START **1**

Longman
Reading Mentor joy START ❶

지은이 교재개발연구소
편집 및 기획 English Nine
발행처 Pearson Education South Asia Pte Ltd.
판매처 inkedu(inkbooks)
전화 02-455-9620(주문 및 고객지원)
팩스 02-455-9619
등록 제13-579호

ISBN 979-11-88228-32-4

잘못된 책은 구입처에서 바꿔 드립니다.

Longman

Reading

Mentor

joy

START 1

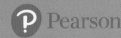

:Introduction

Reading Mentor Joy Start 시리즈는 초등학생 및 초보자를 위한 영어 읽기 학습 교재로, 전체 2개의 레벨 총 6권으로 구성되어 있습니다.

이 시리즈는 수준별로 다양한 주제의 글들을 통해서 학습자들의 문장 이해력과 글 독해력 향상을 주요 목표로 하고 있습니다. 또한 어휘와 문맥을 파악하고 글의 특성에 맞는 글 독해력 향상을 위한 체계적인 코너들을 구성하여 전체 내용을 효과적으로 이해할 수 있도록 구성했습니다.

학습자들의 수준에 맞는 다양한 주제의 글들을 통해서 학습에 동기부여를 제공함과 더불어 다양한 배경 지식과 상식을 넓히는 계기가 될 것입니다.

Reading Mentor joy START

Book 1	Book 2	Book 3

Reading Mentor joy

Book 1	Book 2	Book 3
		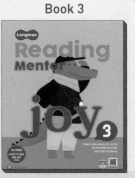

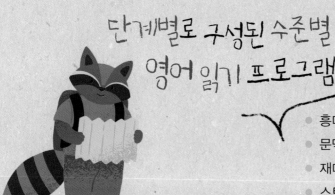

단계별로 구성된 수준별
영어 읽기 프로그램

- 흥미 있는 토픽별 읽을거리
- 문맥을 통한 내용 파악 연습
- 재미있게 영단어 확인 학습
- 스토리 속 숨어 있는 문법 학습
- 다양한 학습 능력을 활용한 문제 구성

Reading Mentor Joy Start 스토리 소개

Syllabus

Reading Mentor Joy Start는 총 3권으로 구성되어 있습니다. 각 권은 총 6개의 Chapter와 18개의 Unit으로 총 8주의 학습 시간으로 구성되어 있습니다. 따라서 Reading Mentor Joy Start는 24주의 학습시간으로 구성되어 있고, 각 권마다 워크북을 제공하여 학습 효율을 높이고자 하였습니다.

Month	Week	Book2	Unit	Contents	Grammar Time
3	4th	Chapter 3 Nature	2	Planting a Tree	[look+형용사]의 의미와 쓰임
			3	Flowers in the Garden	반대 의미의 형용사
4	1st	Chapter 4 Daily Life	1	Daily Life	일반동사 have의 의미와 쓰임
			2	After School	전치사의 의미와 쓰임
			3	My Dad's Daily Life	관사를 사용하지 않는 명사
	2nd	Chapter 5 Visiting the Doctor	1	Animal Clinic	주어가 3인칭 단수일 때 동사의 변화
			2	Toothache	병과 관련된 표현
	3rd		3	Visiting a Doctor	a few/little의 의미와 쓰임
		Chapter 6 Introducing Yourself	1	My Name Is Cindy	be동사 과거형과 쓰임
	4th		2	My Name Is Johnson	because와 because of의 의미와 쓰임
			3	My Name Is William	일반동사의 과거형

Month	Week	Book 3	Unit	Contents	Grammar Time
5	1st	Chapter 1 Clothes	1	Clothes We Wear	every의 의미와 쓰임
			2	Things to Wear	현재진행형의 부정문
			3	Favorite Clothes	복수형으로 써야 하는 명사
	2nd	Chapter 2 Sports	1	Baseball	현재진행형의 의문문
			2	Soccer	be동사의 부정문
	3rd		3	Swimming Pool Rules	일반동사의 부정문과 부정명령문
		Chapter 3 Seasons and Weather	1	Seasons	a lot of와 many의 의미와 쓰임
	4th		2	Weather	take와 bring의 의미와 차이
			3	Rainbow	the가 반드시 필요한 단어
6	1st	Chapter 4 Pets	1	Her Best Friend	형용사의 어순
			2	Pet Cat	형용사와 부사
			3	Fishbowl	some과 any의 의미와 쓰임
	2nd	Chapter 5 In the Woods	1	Trees	[명사+ful] 형태의 형용사
			2	Camping	[like/love+동사ing] 형태
	3rd		3	In the Woods	전치사 from와 to의 의미와 쓰임
		Chapter 6 Health	1	Healthy Habits	명사의 복수형
	4th		2	Couch Potato	형용사의 비교급
			3	Good Habits for Our Health	when의 의미와 쓰임

Construction

Reading Mentor Joy Start는 각 권당 6개의 Chapter와 18개 Unit으로 구성되어 있습니다. 각 Unit은 다음과 같이 구성되어 있으며, 부가적으로 워크북을 제공하고 있습니다. 또한 Reading Passage 및 어휘를 녹음한 오디오 파일을 제공하여 생생한 영어 읽기 학습이 되도록 하였습니다.

Reading Passage

각 Chapter마다 3개의 Reading Passage가 있습니다. 수준별 다양한 주제의 이야기들을 읽어보세요. 색감이 풍부한 삽화가 이야기를 더욱 생생하게 느끼게 해줍니다. 또한 음원을 통해서 원어민의 발음으로 직접 들어 보세요.

Reading Check

앞에서 읽은 재미난 이야기를 잘 이해했는지 문제 풀이를 통해서 확인해 보세요.

Word Check

Reading Passage에 등장하는 어휘들을 문제를 통해서 쓰임을 알아보세요. 어휘를 보다 폭넓게 이해할 수 있고 쉽게 암기할 수 있습니다.

Grammar Time

Reading Passage에서 모르고 지나쳤던 문법 사항을 확인해 보세요. 문장을 확실하게 이해할 수 있습니다.

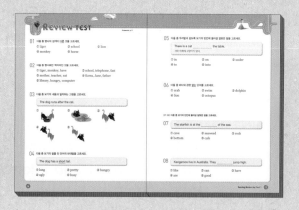

Review Test

각 Chapter가 끝나면 앞에서 배운 3개의 Reading Passage와 어휘, 문법 등에 대한 총괄적인 문제를 풀어볼 수 있습니다. 배운 내용을 다시 한 번 복습할 수 있는 기회가 됩니다.

Word Master

다음 Chapter로 넘어가기 전에 잠깐 쉬어 가세요! 어휘는 모든 읽기의 기본입니다. 부담 갖지 마시고 앞에서 배운 단어를 한 번 더 써보고 연습해 보세요.

Answers

정답을 맞춰 보고, 해석과 해설을 통해서 놓친 부분들도 함께 확인해 보세요.

Workbook

별도로 제공되는 워크북은 각 Unit마다 배운 내용을 스스로 풀어보고 연습할 수 있도록 구성했습니다. 스스로 학습할 수 있는 기회로 삼아 보세요.

Contents

Chapter 1
Animals

UNIT 1 Animals on the Farm

TR 1-01

There are many animals on the farm.

The pig sleeps with his friends.

The cows eat grass.

The cows are hungry.

The hen lays eggs.

The hen can't fly.

The ducks swim in the pond.

The ducks like swimming.

The dog runs after the cat.

The dog has a short tail.

I like all the animals on the farm.

They are my best friends.

1 다음 문장이 이 글의 내용과 같으면 T에 동그라미를, 다르면 F에 동그라미 하세요.

(1) The pig sleeps with his parents.　　　T　　　F

(2) The dog runs after the pig.　　　T　　　F

(3) The ducks are in the pond.　　　T　　　F

2 다음 중 이 글에서 언급하지 <u>않은</u> 동물을 고르세요.

① 　② 　③

④ 　⑤

3 다음 중 이 글의 내용과 <u>다른</u> 행동을 하는 동물을 고르세요.

① 　② 　③

④ 　⑤

4 이 글에서 밑줄 친 **They**가 의미하는 것을 쓰세요.

_____

WORDS

☐ **animal** 동물　☐ **farm** 농장　☐ **pig** 돼지　☐ **sleep** 자다　☐ **grass** 풀　☐ **hungry** 배고픈

☐ **hen** 암탉　☐ **lay** (알을) 낳다　☐ **egg** 알　☐ **fly** 날다　☐ **duck** 오리　☐ **pond** 연못　☐ **tail** 꼬리

WORD CHECK

1 다음 보기에서 동물이 <u>아닌</u> 단어를 고르세요.

> dog pig grass cat duck egg cow

---

2 다음 단어와 그림을 연결하세요.

(1)

(2)

(3)

(4)

A. fly   B. sleep   C. run   D. tail

3 다음 우리말과 같도록 빈칸에 알맞은 단어를 골라 쓰세요.

(1) The dog has a _____ tail. (short / long)

그 개는 꼬리가 짧다.

(2) The ducks swim in the _____. (river / pond)

오리들은 연못에서 수영을 한다.

(3) The cows are very _____. (angry / hungry)

소들은 매우 배가 고프다.

GRAMMAR TIME

주어로 쓰이는 명사

1 명사는 세상의 모든 이름을 나타내는 말입니다.

2 명사에는 '일반명사', '고유명사'가 있습니다. '일반명사'는 사물, 장소, 사람을 나타내고 '고유명사'는 세상에 딱 하나뿐인 것을 가리킵니다.

3 명사는 문장의 맨 앞에 와서 주어로 많이 쓰입니다.

일반명사	사람	teacher, friend, mother, student 등
	장소	park, school, zoo 등
	동물/사물	tiger, monkey 등 / table, computer 등
고유명사	사람 이름	Mike, Jane, Minsu 등
	나라/도시	Korea, Seoul, London 등
	요일/월	Monday, January 등

※ 고유명사의 첫 글자는 반드시 대문자로 씁니다.

1 다음 문장에서 명사를 골라 동그라미 하세요.

(1) There are many animals in the zoo.

(2) The tiger is very hungry.

(3) Jane lives in Seoul.

2 다음 보기에 주어진 명사들을 각각 알맞은 곳에 쓰세요.

> cat   Seoul   tiger   library   bus   classroom
> Cathy   teacher   Korea   computer   school

(1) 사람 _____

(2) 장소/나라/도시 _____

(3) 동물/사물 _____

TR 1-02

Penguins live in Antarctica.

They swim very well.

They are birds, but they can't fly.

Kangaroos live in Australia.

They can jump high.

They have strong back legs.

Tigers live in Asia.

They are very strong.

They have sharp teeth.

Giraffes live in Africa.

They have long necks.

They can run fast.

There are a lot of animals on the Earth.

What animals live in your country?

1 다음 중 이 글이 무엇에 관한 내용인지 고르세요.

① 세상에 있는 동물들 　　　　② 아프리카 동물들

③ 멸종위기의 동물들 　　　　④ 내가 좋아하는 동물들

⑤ 우리나라에 사는 동물들

2 다음 문장이 이 글의 내용과 같으면 T에 동그라미를, 다르면 F에 동그라미 하세요.

(1) Penguins are birds, but they can't fly. 　　　T　　　F

(2) Kangaroos have sharp teeth. 　　　T　　　F

(3) Giraffes have long necks. 　　　T　　　F

3 다음 중 아프리카에서 볼 수 있는 동물을 고르세요.

① 　② 　③ 　④ 　⑤

4 다음 대화의 빈칸에 알맞은 말을 쓰세요.

> A Which animals have strong back legs?
>
> B _____ have strong back legs.

WORDS ··

☐ **penguin** 펭귄　☐ **Antarctica** 남극　☐ **kangaroo** 캥거루　☐ **Australia** 호주　☐ **leg** 다리

☐ **Asia** 아시아　☐ **sharp** 날카로운　☐ **tooth** 치아　☐ **giraffe** 기린　☐ **neck** 목　☐ **Earth** 지구

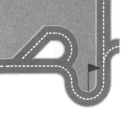

WORD CHECK

1 다음 중 성격이 <u>다른</u> 단어를 고르세요.

① Antarctica   ② Asia   ③ Africa

④ Animal   ⑤ Australia

2 다음 단어와 그림을 연결하세요.

(1)   (2)    (3)    (4)

•　　　　•　　　　•　　　　•

•　　　　•　　　　•　　　　•

A. bird   B. leg   C. teeth   D. neck

3 다음 우리말과 같도록 빈칸에 알맞은 단어를 골라 쓰세요.

(1) Penguins are birds, _____ they can't fly. (and / but)

펭귄은 새지만 날 수 없다.

(2) Kangaroos have _____ back legs. (strong / weak)

캥거루들은 강한 뒷다리를 가지고 있다.

(3) Giraffes have long _____. (arms / necks)

기린들은 긴 목을 가지고 있다.

GRAMMAR TIME

주어와 일반동사로 구성된 영어 문장

1 영어 문장은 주어(~은, ~는, ~이)와 동사(~하다, ~이다)로 이루어집니다.

2 동사 뒤에 나오는 말들은 주어의 동작이나 상태를 좀 더 자세히 설명해 줍니다.

The girl swims. 그 소녀는 수영을 한다.
　주어　　　동사

The girl swims in the river. 그 소녀는 강에서 수영을 한다.
　주어　　　동사　　수식어

1 다음 문장에서 동사를 찾아 동그라미 하세요.

(1) The dog runs fast.

(2) I eat lunch at the cafeteria.

(3) We go to the beach in summer.

(4) The girls listen to the radio.

(5) I like apples.

2 다음 주어진 표현들을 이용해 문장을 완성하세요.

| study | in the library | the students |

3 In the Sea

TR 1-03

The dolphins play in the sea.

They swim very fast.

Three crabs are in the sea.

The crabs eat seaweed.

They like to eat seaweed.

The octopus is on the rock.

The octopus has 8 arms.

The octopus crawls into a dark cave.

The starfish is at the bottom of the sea.

What does the starfish look like?

The starfish looks like a star.

READING CHECK

1 다음 중 이 글과 내용이 <u>다른</u> 것을 고르세요.

① 돌고래들이 빠르게 수영을 한다.　　② 게들이 해초를 먹는다.

③ 문어는 바위에 있다.　　④ 문어가 빠르게 수영을 한다.

⑤ 불가사리는 별처럼 생겼다.

2 다음 관련 있는 그림끼리 연결하세요.

(1) 　　(2) 　　(3)

A. 　　B. 　　C.

3 다음 빈칸에 알맞은 말을 보기에서 골라 쓰세요.

fast	swim	seaweed

(1) The dolphins _____ in the sea.

(2) The crabs like to eat _____.

(3) The dolphins swim very _____.

4 다음 대화의 빈칸에 알맞은 말을 쓰세요.

A How many arms does the octopus have?

B It has _____.

WORDS ··

☐ **dolphin** 돌고래　☐ **crab** 게　☐ **in** ~ 안에　☐ **seaweed** 해초　☐ **octopus** 문어　☐ **rock** 바위

☐ **arm** 팔　☐ **crawl** 기어가다　☐ **cave** 동굴　☐ **starfish** 불가사리　☐ **bottom** 바닥, 밑　☐ **star** 별

1 다음 보기에서 바다와 관련 없는 단어를 고르세요.

> **dolphin   cow   crab   octopus   swim   starfish   apple**

_____

2 다음 단어와 그림을 연결하세요.

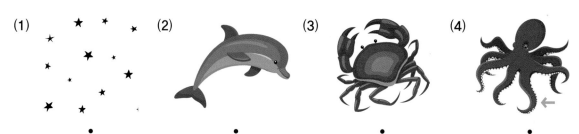

(1)   (2)   (3)   (4)

A. stars   B. arm   C. crab   D. dolphin

3 다음 우리말과 같도록 빈칸에 알맞은 단어를 골라 쓰세요.

(1) The dolphins play in the _____. (sea / river)
돌고래들이 바다에서 놀고 있다.

(2) The crabs like to eat _____. (seaweed / seafood)
게들은 해초 먹는 것을 좋아한다.

(3) The starfish is at the _____ of the sea. (middle / bottom)
불가사리는 바다 밑바닥에 있다.

GRAMMAR TIME

전치사 in, on, under의 의미와 쓰임

1 위치 전치사 in은 '～ 안에'라는 의미로 사람이나 물건이 내부에 있을 때 사용합니다.

2 위치 전치사 on은 '～ 위에'라는 의미로 사물이 물체 위에 닿아 있거나 붙어 있는 경우에만 사용합니다.

3 위치 전치사 under는 '～ 아래에'라는 의미로 한 사물이 바로 아래에 있을 때 사용합니다.

in ～ 안에		**in** the basket 바구니 안에	There is a cat **in** the basket. 바구니 안에 고양이가 있다.
on ～ 위에		**on** the basket 바구니 위에	There is a cat **on** the basket. 바구니 위에 고양이가 있다.
under ～ 아래에(서)		**under** the basket 바구니 아래에	There is a cat **under** the basket. 바구니 아래에 고양이가 있다.

1 다음 그림을 보고 괄호 안에서 알맞은 전치사를 고르세요.

(1) a mouse (on / in / under) the cheese

(2) a mouse (on / in / under) the cheese

(3) a mouse (on / in / under) the cheese

2 다음 우리말과 같도록 괄호 안에서 알맞은 것을 고르세요.

(1) There is a toy (in / on / under) the box. 상자 안에 장난감이 있다.

(2) There is a toy (in / on / under) the table. 식탁 아래에 장난감이 있다.

(3) There is a toy (in / on / under) the desk. 책상 위에 장난감이 있다.

Review Test

Answers p.3

01 다음 중 명사의 성격이 <u>다른</u> 것을 고르세요.

① tiger   ② school   ③ lion

④ monkey   ⑤ horse

02 다음 중 명사로만 짝지어진 것을 고르세요.

① tiger, monkey, have   ② school, telephone, fast

③ mother, teacher, eat   ④ Korea, Jane, father

⑤ library, hungry, computer

03 다음 중 보기의 내용과 일치하는 그림을 고르세요.

The dog runs after the cat.

①   ②    ③

④   ⑤

04 다음 중 보기의 밑줄 친 단어의 반대말을 고르세요.

The dog has a <u>short</u> tail.

① long   ② pretty   ③ hungry

④ ugly   ⑤ busy

05 다음 중 우리말과 같도록 보기의 빈칸에 들어갈 알맞은 말을 고르세요.

> There is a cat _____ the table.
> 식탁 아래에 고양이가 있다.

① in   ② on   ③ under

④ to   ⑤ into

06 다음 중 바다와 관련 <u>없는</u> 단어를 고르세요.

① crab   ② swim   ③ dolphin

④ lion   ⑤ octopus

[07-08] 다음 중 보기의 빈칸에 들어갈 알맞은 말을 고르세요.

07

> The starfish is at the _____ of the sea.

① cave   ② seaweed   ③ rock

④ bottom   ⑤ cafe

08

> Kangaroos live in Australia. They _____ jump high.

① like   ② can   ③ have

④ are   ⑤ good

09 다음 중 우리말과 같도록 빈칸에 들어갈 알맞은 말을 고르세요.

> They _____ speak English.
>
> 그들은 영어로 말할 수 없다.

① do　　　　　② can't　　　　　③ are

④ well　　　　　⑤ don't

[10-11] 다음을 읽고 질문에 답하세요.

> There are many animals on the farm.
> The pig sleeps with his friends.
> The cows eat grass.
> The cows are hungry.
> The ducks swim in the pond.
> <u>They</u> like swimming.
> I like all the animals on the farm.
> They are my best friends.

10 다음 대화의 빈칸에 알맞은 말을 쓰세요.

> A Where are the ducks?
> B They are _____.

11 다음 중 이 글의 밑줄 친 **They**가 의미하는 것을 고르세요.

① my friends　　　　　　② the ducks in the pond

③ all the animals on the farm　　④ the cows on the farm

⑤ the pigs on the farm

12 다음 중 우리말과 같도록 빈칸에 알맞은 말을 고르세요.

> He has _____ arms.
> 그는 강한 팔을 가지고 있다.

① fast   ② high   ③ sharp

④ strong   ⑤ good

13 다음 중 우리말을 영어로 바르게 옮긴 것을 고르세요.

> 탁자 아래 고양이가 있다.

① A cat is in the table.   ② A cat is on the table.

③ A cat is to the table.   ④ A cat is into the table.

⑤ A cat is under the table.

14 다음 영어를 우리말로 쓰세요.

(1) Tigers have sharp teeth.

_____

(2) The starfish looks like a star.

_____

(3) The octopus has 8 arms.

_____

15 다음 빈칸에 들어갈 알맞은 말을 쓰세요.

> Penguins are birds, but they _____ fly.

_____

WORD MASTER

TR 1-03-W

📍 다음 단어의 뜻을 쓰고, 단어를 세 번씩 더 써보세요.

01	animal	동물	animal	animal	animal
02	bottom				
03	cave				
04	crab				
05	crawl				
06	dolphin				
07	duck				
08	farm				
09	giraffe				
10	kangaroo				
11	octopus				
12	penguin				
13	pond				
14	seaweed				
15	starfish				

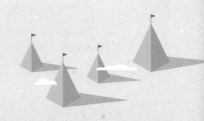

Chapter 2
Friends

TR 1-04

A new school year begins.

I want to make new friends.

I meet Jessie and Jim.

They are my new classmates.

Jessie has long hair and she wears glasses.

Jim is tall and has short hair.

I introduce myself to them.

I invite them to sit with me at lunch.

We eat lunch together.

I want to be friends with them.

1 다음 중 이 글이 무엇에 관한 내용인지 고르세요.

① 나의 학교   ② 친구의 외모   ③ 점심 메뉴

④ 나의 취미   ⑤ 새로운 친구 사귀기

2 다음 중 본문의 내용과 일치하지 <u>않는</u> 것을 고르세요.

① 새로운 학기가 시작되었다.

② Jessie와 Jim은 같은 반이다.

③ Jim은 키가 크다.

④ Jessie와 Jim에게 내 소개를 했다.

⑤ 나는 Jessie와 Jim과 함께 저녁을 먹었다.

3 다음 중 Jessie를 고르세요.

① ② ③ ④ ⑤

4 이 글에서 밑줄 친 <u>them</u>이 의미하는 것을 쓰세요.

_____

WORDS ···

□ **school year** 학년   □ **begin** 시작하다   □ **want** 원하다   □ **make** 만들다   □ **meet** 만나다

□ **classmate** 반 친구   □ **wear** 입다, 쓰다   □ **glasses** 안경   □ **introduce** 소개하다

□ **myself** 나 자신   □ **invite** 초대하다   □ **together** 함께

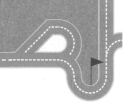
1

다음 단어와 그림을 연결하세요.

(1) 　　　(2) 　　　(3) 　　　(4)

・　　　　　　　・　　　　　　　・　　　　　　　・

・　　　　　　　・　　　　　　　・　　　　　　　・

A. long　　　B. glasses　　　C. lunch　　　D. tall

2

다음 중 밑줄 친 단어를 대신할 수 있는 단어를 고르세요.

> A new school year begins.

① meets　　　　② starts　　　　③ have

④ invites　　　　⑤ eats

3

다음 우리말과 같도록 빈칸에 알맞은 단어를 골라 쓰세요.

(1) They are my new _____. (classmates / friends)
그들은 나의 새로운 반 친구들이다.

(2) We eat lunch _____. (together / myself)
우리는 함께 점심을 먹는다.

(3) I want to be friends with _____. (him / them)
나는 그들과 친구가 되기를 원한다.

GRAMMAR TIME

be동사의 의미와 쓰임

1 동사는 움직임을 나타내는 말입니다.

2 동사는 크게 be동사(am, is, are)와 일반동사(read, talk, ...) 두 가지가 있습니다.

3 be동사는 주어 뒤에 나오면서 주어의 상태를 설명해 줍니다. 주어에 따라 be동사는 달라집니다.

I 나는	**am** (I'm)	a student. 학생이다.
You 너는(너희들은)	**are** (You're)	a student. 학생이다.
He / She / It 그는/그녀는/그것은 The dog(단수명사) 그 개는	**is** (He's / She's / It's)	hungry. 배가 고프다.
We / They 우리는/그들은(그것들은) The dogs(복수명사) 그 개들은	**are** (We're / They're)	in the park. 공원에 있다.

※ 주어와 be동사는 괄호 안의 표현처럼 줄여서 사용할 수 있습니다.

---

1 다음 빈칸에 알맞은 be동사를 쓰세요.

(1) I _____ a doctor.

(2) Tom _____ in the classroom.

(3) They _____ my friends.

(4) The dogs _____ very fast.

---

2 다음 빈칸에 들어갈 말을 보기에서 골라 쓰세요.

I	The dog	The boys	Jane

_____ are hungry now.

We Are Good Friends

TR 1-05

I'm going to talk about my friend Michelle.

Michelle lives next door.

She is my best friend.

We go to the same school.

We often play together.

We are different.

My hobby is reading books, but Michelle likes watching cartoons.

I like vegetables, but she doesn't like them.

These differences are not a big problem to us.

We are still good friends.

1 다음 중 이 글이 무엇에 관한 내용인지 고르세요.

① 나의 이웃　　　　② 나의 친구　　　　③ 나의 학교

④ 나의 가족　　　　⑤ 나의 부모

2 다음 중 Michelle에 대한 내용과 일치하지 <u>않는</u> 것을 고르세요.

① Michelle은 나의 친한 친구다.

② Michelle과 나는 같은 학교에 다닌다.

③ Michelle의 취미는 독서다.

④ Michelle은 만화영화 보는 것을 좋아한다.

⑤ Michelle은 야채를 좋아하지 않는다.

3 다음 중 밑줄 친 **different**의 반대말을 고르세요.

① same　　　　② good　　　　③ still

④ often　　　　⑤ big

4 이 글에서 밑줄 친 <u>them</u>이 의미하는 것을 쓰세요.

_____

WORDS ···

□ **talk** 말하다　□ **about** ~에 대해　□ **best** 최고의　□ **same** 같은　□ **often** 자주　□ **together** 함께

□ **different** 다른　□ **hobby** 취미　□ **cartoon** 만화, 만화영화　□ **vegetable** 야채

□ **difference** 차이　□ **problem** 문제　□ **still** 여전히

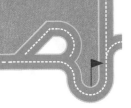

WORD CHECK

1 다음 단어와 그림을 연결하세요.

(1)    (2)    (3)    (4)

·   ·   ·   ·

·   ·   ·   ·

A. school   B. read   C. watch   D. vegetables

2 다음 중 우리말과 같도록 빈칸에 들어갈 알맞은 말을 고르세요.

My dog is small _____ smart. 나의 개는 작지만 영리하다.

① but   ② to   ③ about
④ in   ⑤ and

3 다음 우리말과 같도록 빈칸에 알맞은 단어를 골라 쓰세요.

(1) My _____ is reading books. (hobby / play)
나의 취미는 독서다.

(2) We go to the _____ school. (different / same)
우리는 같은 학교에 다닌다.

(3) Michelle lives _____. (next door / together)
미쉘은 옆집에 산다.

GRAMMAR TIME

be going to의 의미와 쓰임

1 be going to는 '~할 것이다'라는 의미로 미래 일을 계획하거나 예측할 때 사용합니다.

2 부정문은 '~하지 않을 것이다'라는 의미로 be동사 다음에 not을 넣으면 됩니다.

긍정문 (be동사+going to+동사원형) (~할 것이다)	**I'm going to** <u>visit</u> him tomorrow. 나는 내일 그를 방문할 것이다. **She's going to** <u>be</u> 13 next year. 그녀는 내년에 13살이 될 것이다.
부정문 (be동사+not going to+동사원형) (~하지 않을 것이다)	**I'm not going to** <u>visit</u> him tomorrow. 나는 내일 그를 방문하지 않을 것이다.

1 다음 빈칸에 알맞은 것을 고르세요.

(1) They (are going to / are going) get up early tomorrow.

(2) I'm going to (play / plays) the piano after school.

(3) They (is / are) going to stay home tomorrow.

(4) My friends (not are / are not) going to visit the museum.

(5) Susan (not is / is not) going to eat lunch.

2 다음 우리말과 같도록 주어진 단어들을 알맞게 배열하세요.

> 그들은 방과 후 축구를 할 것이다. (play, are, to, going)

They _____ _____ _____ _____ soccer after school.

TR 1-06

Tom and Cathy are my best friends.

I spend time with them after school.

I sometimes play baseball with _____.

We also study together.

We help each other with schoolwork.

In summer, we go to the swimming pool together.

In winter, we go skating together.

I invite Tom and Cathy to my birthday party.

We eat cake and play at my birthday party.

I hope our friendship lasts for a long time.

READING CHECK

1 다음 중 이 글의 내용과 일치하지 <u>않는</u> 것을 고르세요.

① Tom과 Cathy는 나의 친구이다.   ② 나는 방과 후 친구들과 시간을 보낸다.

③ 나는 친구들과 함께 공부를 한다.   ④ 나는 친구들과 겨울에 스케이트를 탄다.

⑤ 나는 친구들의 생일파티에 참석한다.

2 다음 중 빈칸에 들어갈 알맞은 말을 고르세요.

① it   ② them   ③ me   ④ him   ⑤ her

3 다음 문장이 이 글의 내용과 같으면 **T**에 동그라미를, 다르면 **F**에 동그라미 하세요.

(1) Cathy helps me with schoolwork.   T   F

(2) Tom and Cathy play basketball after school.   T   F

(3) In summer, Tom and Cathy swim in the sea.   T   F

4 다음 대화의 빈칸에 이 글의 내용과 일치하도록 알맞은 말을 쓰세요.

> **A** Do you invite Tom and Cathy on your birthday?
> **B** _____, _____ _____.

WORDS

□ **best** 가장 친한   □ **spend** (시간을) 보내다   □ **sometimes** 때때로   □ **baseball** 야구

□ **also** ~도, 또한   □ **help** 돕다   □ **each other** 서로   □ **schoolwork** 학교 공부   □ **birthday** 생일

□ **hope** 바라다   □ **friendship** 우정   □ **last** 유지하다   □ **for a long time** 오랫동안

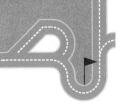

WORD CHECK

1 다음 단어와 그림을 연결하세요.

(1)  (2)  (3)  (4)

A. study together   B. play baseball   C. go skating   D. birthday party

2 다음 중 우리말과 같도록 빈칸에 공통으로 들어갈 알맞은 말을 고르세요.

> • We also study _____. 우리는 역시 함께 공부한다.
>
> • We sing a song _____. 우리는 함께 노래를 부른다.

① sometimes   ② after school   ③ in summer
④ each other   ⑤ together

3 다음 우리말과 같도록 빈칸에 알맞은 단어를 골라 쓰세요.

(1) I spend time with them _____. (sometimes / after school)
나는 방과 후에 그들과 시간을 보낸다.

(2) I _____ them to my birthday party. (spend / invite)
나는 그들을 나의 생일파티에 초대한다.

(3) Tom and Cathy are my _____ friends. (best / bad)
톰과 캐시는 나의 가장 친한 친구들이다.

GRAMMAR TIME

[go+-ing]의 의미와 쓰임

[go+-ing] 형태는 '~하러 가다'라는 의미로 go의 목적을 나타내는 표현입니다.

go skating 스케이트 타러 가다	I want to **go skating**. 나는 스케이트 타러 가고 싶다.
go shopping 쇼핑하러 가다	I want to **go shopping**. 나는 쇼핑하러 가고 싶다.
go fishing 낚시하러 가다	They **go fishing** every Saturday. 그들은 매주 토요일 낚시하러 간다.
go swimming 수영하러 가다	She **goes swimming** twice a week. 그녀는 일주일에 두 번 수영하러 간다.

1 다음 빈칸에 알맞은 말을 고르세요.

(1) We want to go (skating / to skate).

(2) She's going to (go shop / go shopping) today.

(3) I want to (go fishing / go to fishing).

(4) She's going to (go swimming / go to swimming) tomorrow.

01 다음 중 빈칸에 들어갈 말이 <u>다른</u> 것을 고르세요.

① She _____ my sister.

② Tom _____ a student.

③ The boys _____ my friends.

④ He _____ a doctor.

⑤ The dog _____ very fast.

[02-04] 다음 중 우리말과 같도록 빈칸에 들어갈 알맞은 말을 고르세요.

02

I'm going _____ him tomorrow.

나는 내일 그를 만날 것이다.

① meet   ② meeting   ③ to meet
④ to meeting   ⑤ meets

03

I want to _____ fishing.

나는 낚시하러 가고 싶다.

① doing   ② go to   ③ to going
④ going   ⑤ go

04

I play baseball with them _____ school.

나는 방과 후 그들과 야구를 한다.

① together   ② at   ③ after
④ in   ⑤ before

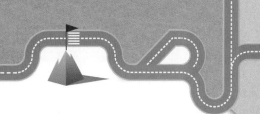

> Michelle lives next door.
>
> She is my best friend. We go to the <u>same</u> school.
>
> We often play together. We are different.
>
> My hobby is reading books, but Michelle likes watching cartoons.
>
> I like vegetables, but she doesn't like them.
>
> These differences are not a big problem to us.
>
> We are still good friends.

05 다음 중 이 글의 내용과 <u>다른</u> 것을 고르세요.

① Michelle and I go to the same school.

② Michelle doesn't like vegetables.

③ Michelle and I live together.

④ Michelle and I are good friends.

⑤ My hobby is different from Michelle's hobby.

06 이 글에서 밑줄 친 **same**의 반대되는 말을 찾아 쓰세요.

_____

07 다음 중 보기의 영어와 일치하는 그림을 고르세요.

> My sister has short hair and wears glasses.

①   ②   ③   ④   ⑤

[08-09] 다음 중 보기의 빈칸에 들어갈 알맞은 말을 고르세요.

08

> Tomorrow is my birthday.
> I'm going to _____ my friends to my birthday party.

① do   ② invite   ③ visit

④ eat   ⑤ play

09

> I study with Tom and Jane in the same class.
> They are my _____.

① subjects   ② classroom   ③ classmates

④ people   ⑤ brothers

10 다음 중 빈칸에 공통으로 들어갈 알맞은 말을 고르세요.

> • I often _____ time with her.
> • They _____ a lot of money buying clothes.

① have   ② spend   ③ invite

④ play   ⑤ go

11 다음 중 밑줄 친 부분이 어색한 것을 고르세요.

① I'm not going to visit him.

② Jane and I often go shopping.

③ They are my cousins.

④ She's going to being 13 next year.

⑤ I am not going to meet her today.

12 다음 밑줄 친 부분을 바르게 고치세요.

> The elephant <u>are</u> in the lake.

_____

13 다음 영어를 우리말로 쓰세요.

(1) Cathy is tall and has long hair.

_____

(2) I'm going to visit her tomorrow.

_____

14 다음 우리말과 같도록 주어진 단어를 이용하여 빈칸에 알맞은 말을 쓰세요.

> I want to go _____. (shop) 나는 쇼핑하러 가고 싶다.

_____

15 다음 우리말과 같도록 빈칸에 공통으로 알맞은 말을 쓰세요.

> • We eat lunch _____. 우리는 함께 점심식사를 한다.
> • They play _____ all day long. 그들은 하루 종일 함께 논다.

_____

 다음 단어의 뜻을 쓰고, 단어를 세 번씩 더 써보세요.

01	baseball	야구	baseball	baseball	baseball
02	begin				
03	birthday				
04	cartoon				
05	classmate				
06	different				
07	friendship				
08	hobby				
09	introduce				
10	invite				
11	myself				
12	problem				
13	same				
14	sometimes				
15	together				

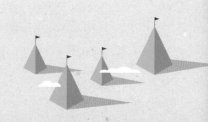

Chapter 3

Hobby

TR 1-07

Tara likes reading books.

She is happy when she reads a story with a happy ending.

She reads for 2 hours every day.

She usually reads books after dinner.

Her favorite author is J.K. Rowling.

She is the author of "Harry Potter."

There are <u>a lot of</u> advantages of reading every day.

Reading helps to increase Tara's vocabulary.

It also helps to improve her writing skills.

Reading makes her feel relaxed and calm.

1 다음 중 이 글의 내용과 일치하지 <u>않는</u> 것을 고르세요.

① 타라는 매일 책을 읽는다.

② 타라는 저녁식사 후 책을 읽는다.

③ 타라가 좋아하는 작가는 제이 케이 롤링이다.

④ 독서는 많은 장점들이 있다.

⑤ 타라의 장래희망은 소설가가 되는 것이다.

2 다음 중 독서의 좋은 점으로 언급한 것을 고르세요.

① 창의력이 향상된다.　　　　② 사람들과 소통할 수 있다.

③ 작문 실력이 향상된다.　　　④ 뇌의 기능을 향상시킨다.

⑤ 스트레스를 줄인다.

3 다음 중 밑줄 친 **a lot of** 대신 쓸 수 있는 말을 고르세요.

① so　　　　　② many　　　　　③ very

④ much　　　　⑤ enough

4 다음 중 보기의 두 문장이 의미가 같도록 빈칸에 들어갈 알맞은 말을 고르세요.

> Reading also helps to increase her vocabulary.
>
> = She learns _____ from reading books.

① new foods　　　② new cultures　　　③ new clothes

④ new words　　　⑤ new facts

WORDS

□ **favorite** 가장 좋아하는　□ **ending** 결말　□ **usually** 주로, 보통　□ **author** 작가　□ **advantage** 장점

□ **increase** 늘리다　□ **improve** 향상시키다　□ **skill** 기술　□ **relaxed** 편안한　□ **calm** 침착한

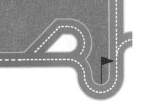

1 다음 단어와 그림을 연결하세요.

(1)

(2)

(3)

(4)

• • • •

A. read   B. happy   C. dinner   D. write

2 다음 중 우리말과 같도록 빈칸에 알맞은 말을 고르세요.

He _____ goes to bed at 10 p.m.
그는 보통 저녁 10시에 잠자리에 든다.

① sometimes   ② never   ③ often
④ usually   ⑤ always

3 다음 우리말과 같도록 빈칸에 알맞은 단어를 골라 쓰세요.

(1) She reads for 2 hours _____. (every weekend / every day)
그녀는 매일 2시간 동안 책을 읽는다.

(2) Her _____ author is J.K. Rowling. (favorite / good)
그녀가 좋아하는 작가는 제이 케이 롤링이다.

(3) Reading makes her feel _____. (relaxed / always)
독서는 그녀를 편안하게 만든다.

GRAMMAR TIME

부정관사 a / an의 쓰임

1 a, an은 부정관사라고 부르며 단수명사 앞에 옵니다.

2 부정관사란 명사가 특정한 것을 가리키지 않는다는 것을 의미합니다.

3 an은 단어의 첫 발음이 모음(a, e, i, o, u)으로 시작하는 명사 앞에 옵니다.

 a car 자동차	a book 책	an apple 사과	an onion 양파

TIPS 사람 이름, 국가 이름, 도시 이름 앞에는 관사를 쓰지 않습니다.

I love a Tom. (x) / I love Tom. (o) 나는 톰을 사랑한다.

She lives in a Seoul. (x) / She lives in Seoul. (o) 그녀는 서울에 산다.

I have a book. 나는 책을 가지고 있다.

I have an apple. 나는 사과를 가지고 있다.

1 다음 빈칸에 a나 an을 쓰세요. 둘 다 필요 없으면 X하세요.

(1) Mr. Kim has _____ car.

(2) Do you have _____ computer?

(3) This is _____ octopus.

(4) We want to live in _____ Korea.

(5) They live in _____ igloo.

(6) I like _____ Susan.

TR 1-08

Kevin is in the swimming pool now.

He likes swimming.

He goes swimming 3 days a week.

He swims very well.

He swims very fast.

SPLASH!

He dives from the high board.

His swimming cap comes off.

His swimming suit comes off, too.

He feels embarrassed.

1 다음 중 이 글의 내용과 일치하지 <u>않는</u> 것을 고르세요.

① 캐빈은 지금 수영장에 있다.　　② 캐빈은 수영을 잘한다.

③ 캐빈은 수영하는 것을 좋아한다.　　④ 캐빈의 수영모자가 벗겨졌다.

⑤ 캐빈은 자신이 자랑스럽다.

2 다음 중 질문의 대답으로 알맞은 것을 고르세요.

> Why does Kevin feel embarrassed?

① He lost his swimming suit.

② His swimming suit came off.

③ He fell on the ice.

④ He can't swim.

⑤ His swimming suit is too large.

3 다음 그림에서 현재 Kevin의 모습을 찾으세요.

① 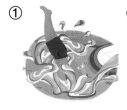　② 　③ 　④ 　⑤

4 다음 대화의 빈칸에 알맞은 말을 쓰세요.

> A　How often does Kevin go swimming?
>
> B　He goes swimming _____.

WORDS

□ **swimming pool** 수영장　□ **week** 일주일　□ **swim** 수영하다　□ **well** 잘　□ **fast** 빠르게

□ **dive** 다이빙하다　□ **swimming cap** 수영 모자　□ **come off** 벗겨지다　□ **embarrassed** 당황스러운

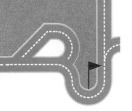

1 다음 단어와 그림을 연결하세요.

(1)

(2)

(3)

(4)

A. dive

B. swimming cap

C. swimming suit

D. swimming pool

2 다음 중 사람의 감정을 나타내는 단어를 고르세요.

① go ② fast ③ embarrassed
④ swim ⑤ dive

3 다음 우리말과 같도록 빈칸에 알맞은 단어를 골라 쓰세요.

(1) Kevin swims 3 days a _____. (week / weekend)
캐빈은 일주일에 3일 수영을 한다.

(2) He swims _____ fast. (well / very)
그는 매우 빠르게 수영을 한다.

(3) His swimming cap _____. (comes in / comes off)
그의 수영 모자가 벗겨진다.

GRAMMAR TIME

부사의 의미와 쓰임

1 부사는 일반동사와 부사를 꾸며 주어 문장의 내용을 풍부하게 해주는 역할을 합니다.

동사 수식 (동사+부사)	He sings well. 그는 노래를 잘한다. 동사⤴부사
부사 수식 (부사+부사)	He sings very well. 그는 노래를 매우 잘한다. 부사⤴부사

2 부사는 형용사도 수식합니다.

He is very tall. 그는 매우 키가 크다.
부사⤴형용사

3 자주 사용하는 부사

fast 빠르게	early 일찍	well 잘	carefully 주의 깊게
slowly 천천히	easily 쉽게	loudly 큰 소리로	late 늦게

1 다음 괄호 안에 알맞은 것을 고르세요.

(1) He swims very (well / good).

(2) He drives (careful / carefully).

(3) They are talking (loudly / late).

(4) We get up (early / lately) in the morning.

2 다음 우리말과 같도록 빈칸에 알맞은 말을 쓰세요.

She moves very _____.
그녀는 동작이 매우 느리다. (매우 느리게 움직인다.)

TR 1-09

My older sister, Alice, is a high school student.

She listens to music when she's free.

She likes listening to K-pop music.

Sometimes she dances while listening to music.

But she isn't a good dancer.

She listens to music until late at night.

She always plays the music loudly.

Please turn down the volume!

I need to get some sleep!

1 다음 중 이 글이 무엇에 관한 내용인지 고르세요.

① my hobby   ② my older sister's hobby

③ my brother's hobby   ④ my dad's hobby

⑤ my mom's hobby

2 다음 중 이 글의 내용과 일치하지 <u>않는</u> 것을 고르세요.

① 나의 누나는 고등학교에 다닌다.   ② 나의 누나는 음악 감상이 취미다.

③ 나의 누나는 춤을 잘 춘다.   ④ 나의 누나는 밤에 늦게까지 음악을 듣는다.

⑤ 나의 누나는 음악을 크게 듣는다.

3 다음 질문에 답하세요.

> What kind of music does your older sister like?

4 다음 중 글쓴이가 잠을 못 자는 이유를 고르세요.

① Alice likes K-pop music.

② Alice dances until late at night.

③ Alice reads books until late at night.

④ Alice dances while listening to music.

⑤ Alice always plays the music loudly.

WORDS

□ **older sister** 누나, 언니   □ **high school** 고등학교   □ **listening** 듣기   □ **sometimes** 때때로

□ **dancer** 댄서, 무용수   □ **until** ~까지   □ **at night** 밤에   □ **always** 항상   □ **loudly** 크게

□ **turn down** 줄이다   □ **volume** 볼륨

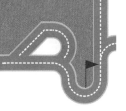
1 다음 단어와 그림을 연결하세요.

(1) 　(2) 　(3) 　(4)

•　　　　　•　　　　　•　　　　　•

•　　　　　•　　　　　•　　　　　•

A. listen to music　　B. dancer　　C. sleep　　D. at night

2 다음 단어의 반대말을 찾아 연결하세요.

(1) old　•　　　　　• A. low

(2) late　•　　　　　• B. young

(3) high　•　　　　　• C. early

3 다음 우리말과 같도록 빈칸에 알맞은 단어를 골라 쓰세요.

(1) Alice is a high school _____. (student / girl)
앨리스는 고등학교 학생이다.

(2) She likes _____ to K-pop music. (listening / dancing)
그녀는 케이팝 음악 듣는 것을 좋아한다.

(3) She _____ plays the music loudly. (often / always)
그녀는 항상 음악을 크게 튼다.

GRAMMAR TIME

빈도부사의 의미와 쓰임

sometimes. always, often의 의미와 쓰임은 다음과 같습니다.

always 항상, 언제나 (100%)	I **always** get up early in the morning. 나는 항상 아침에 일찍 일어난다.
often 자주, 종종 (70~80%)	I **often** take a shower. 나는 자주 샤워를 한다.
sometimes 때때로 (50%)	I **sometimes** go to the library. 나는 때때로 도서관에 간다.

1 sometimes는 문장 맨 앞에 올 수도 있습니다.

2 sometimes와 sometime은 다른 의미로, sometime은 '언젠가'라는 의미입니다.
I'm going to visit the museum **sometime**.
나는 언젠가 박물관을 방문할 것이다.

1 다음 우리말과 같도록 빈칸에 알맞은 말을 쓰세요.

(1) He _____ swims after school.

그는 항상 방과 후에 수영을 한다.

(2) _____ I eat pizza for lunch.

때때로 나는 점심으로 피자를 먹는다.

(3) They _____ take a walk at the park.

그들은 자주 공원에서 산책을 한다.

(4) I want to visit there _____ .

나는 언젠가 그곳에 가보고 싶다.

(5) I _____ go to the museum.

나는 때때로 박물관에 간다.

[01-02] 다음 중 빈칸에 들어갈 알맞은 말을 고르세요.

01 Kevin swims very _____.

① good   ② well   ③ careful
④ low   ⑤ always

02 I _____ go to the library.

① well   ② good   ③ often
④ early   ⑤ carefully

03 다음 중 빈칸에 들어갈 말로 짝지어진 것을 고르세요.

- We live in _____ Korea.
- I have _____ orange.

① an – the   ② the – an   ③ an – X
④ X – an   ⑤ the – a

04 다음 중 very가 들어갈 위치로 알맞은 것을 고르세요.

① He ② always ③ drives ④ carefully ⑤.

05 다음 중 그림을 보고 빈칸에 들어갈 알맞은 말을 고르세요.

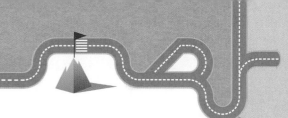

> He _____ from the high board.

① runs   ② dives   ③ walks
④ drives   ⑤ sits

06 다음 중 빈칸에 알맞지 <u>않은</u> 것을 고르세요.

> She _____ reads a book after dinner.

① usually   ② often   ③ late
④ always   ⑤ sometimes

07 다음 중 우리말과 같도록 빈칸에 들어갈 알맞은 말을 고르세요.

> She is the _____ of "Harry Potter."
> 그녀는 "해리포터"의 저자다.

① teacher   ② singer   ③ musician
④ scientist   ⑤ author

08 다음 중 빈칸에 들어갈 알맞은 말을 고르세요.

> Alice sings very well. She is a _____ singer.

① well   ② good   ③ careful
④ bad   ⑤ fast

[09-10] 다음을 읽고 질문에 답하세요.

My older sister, Alice, is a high school student.

Her hobby is listening to music.

She likes listening to K-pop music.

Sometimes she dances while listening to music.

But she's not a good dancer.

She listens to music until late at night.

She always plays the music loudly.

Please turn down the volume!

I need to get some sleep!

09 다음 중 이 글의 내용으로 알 수 <u>없는</u> 것을 고르세요.

① Alice 취미　　　　　　　　② Alice가 좋아하는 음악

③ 내가 잠을 잘 잘 수 없는 이유　④ Alice의 춤 실력

⑤ Alice의 장래희망

10 다음 중 이 글의 밑줄 친 대답에 대한 질문으로 알맞을 것을 고르세요.

① What kind of music is she listening to now?

② What is she doing now?

③ Does she like to listen to music?

④ What kind of music does she like?

⑤ Is she listening to K-pop music?

11 다음 중 밑줄 친 단어 쓰임이 <u>다른</u> 것을 고르세요.

① He swims <u>very</u> well.　　　② He drives <u>carefully</u>.

③ They are talking <u>loudly</u>.　　④ The dog is very <u>fast</u>.

⑤ He gets up <u>late</u> in the morning.

12 다음 영어를 우리말로 쓰세요.

(1) She listens to music until late at night.

_____

(2) She usually reads a book after dinner.

_____

13 다음 주어진 단어들을 올바른 순서대로 쓰세요.

나는 자주 박물관에 간다.
I (to / often / go / the museum).

I _____ .

14 다음 보기에서 빈칸에 알맞은 말을 골라 쓰세요.

| listens | until | a lot of |

(1) The store is open _____ midnight every day.

(2) There are _____ books in the library.

(3) She is happy when she _____ to music.

15 다음 빈칸에 알맞은 말을 쓰세요.

I have _____ computer.
나는 컴퓨터가 있다.

TR 1-09-W

 다음 단어의 뜻을 쓰고, 단어를 세 번씩 더 써보세요.

01	advantage	장점	advantage	advantage	advantage
02	always				
03	author				
04	calm				
05	embarrassed				
06	ending				
07	favorite				
08	improve				
09	listening				
10	skill				
11	swim				
12	until				
13	usually				
14	volume				
15	week				

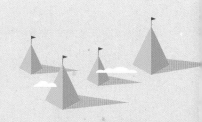

Chapter 4

Jobs

Kinds of Jobs

TR 1-10

My mom is a nurse.

She works at a hospital.

She takes care of patients.

My dad is a teacher.

He teaches history at a high school.

He's always busy.

My uncle Peter is a firefighter.

His job is to put out fires.

He's very brave.

My cousin Jessie works at an Italian restaurant.

She's a chef.

She makes spaghetti and pizza.

She likes cooking.

1 다음 중 이 글이 무엇에 관한 내용인지 고르세요.

① hobbies　　　② jobs　　　③ foods

④ sports　　　⑤ after school activities

2 다음 중 **Mr. Peter**의 모습으로 알맞은 것을 고르세요.

① 　② 　③ 　④ 　⑤

3 다음 빈칸에 알맞은 장소를 쓰세요.

직업	장소	직업	장소
nurse	hospital	teacher	(1)
chef	(2)	firefighter	fire station

4 다음 중 빈칸에 들어갈 알맞은 말을 고르세요.

> My cousin Jessie works at an Italian restaurant.
> She's a chef. Her job is to _____.

① make food　　　② teach students　　　③ put out fires

④ take care of patients　　　⑤ take care of babies

WORDS

☐ **nurse** 간호사　　☐ **hospital** 병원　　☐ **take care of** ~을 돌보다　　☐ **patient** 환자　　☐ **history** 역사

☐ **busy** 바쁜　　☐ **firefighter** 소방관　　☐ **put out** 끄다　　☐ **brave** 용감한　　☐ **restaurant** 식당

☐ **chef** 주방장

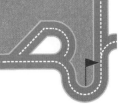
1 다음 중 직업과 관련 없는 단어를 고르세요.

① teacher   ② nurse   ③ firefighter

④ chef   ⑤ cousin

2 다음 단어와 그림을 연결하세요.

(1)    (2)    (3)    (4)

A. cooking   B. put out fires   C. spaghetti   D. hospital

3 다음 우리말과 같도록 빈칸에 알맞은 단어를 골라 쓰세요.

(1) She takes care of _____. (patients / children)

그녀는 환자들을 돌본다.

(2) He teaches _____ at a high school. (science / history)

그는 고등학교에서 역사를 가르친다.

(3) My uncle is very _____. (brave / smart)

나의 삼촌은 매우 용감하다.

GRAMMAR TIME

인칭대명사의 주격

1 대명사는 명사를 대신해 쓰는 말입니다.

2 앞에 나온 주어를 대신할 때 인칭대명사 주격을 사용합니다.

3 인칭대명사 주격은 주어의 자리에 와서 '~은', '~는', '~이', '~가'로 해석합니다.

My brother is 13 years old. **He** likes reading books. (My brother = He)
나의 동생은 13살이다. 그는 책 읽는 것을 좋아한다.

I (나는)	You (너는)	He (그는)	She (그녀는)
It (그것은)	You (너희들은)	They (그들은)	We (우리는)

1

다음 괄호 안에서 알맞은 것을 고르세요.

(1) The girls are in the swimming pool.

(We / She / They) swim very well.

(2) My friends and I are at the cafeteria.

(We / She / They) are very hungry.

(3) Mr. Kim is an English teacher.

(You / It / He) is very kind.

(4) The mouse is hungry.

(You / It / We) wants cheese.

(5) Sam and David are students.

(He / We / They) are very smart.

(6) My younger brother likes reading books.

(He / We / They) reads books every day.

TR 1-11

There are firefighters in cities and towns.

They put out fires in buildings.

They rescue people in danger.

They drive fire engines.

The fire engines pump water.

We can see firefighters and fire engines at a fire station.

Firefighters wear special clothes.

The special clothes protect them from the heat of a fire.

They play an important role in our life.

FIRE STATION

READING CHECK

1 다음 중 이 글의 내용과 <u>다른</u> 것을 고르세요.

① 소방차는 물을 퍼붓는다.　　　② 소방관들은 특별한 옷을 입는다.

③ 소방관들은 중요한 역할을 한다.　④ 소방관들은 도시에만 있다.

⑤ 소방관들은 위험에 처한 사람들을 구해준다.

2 다음 중 보기에 해당하는 그림을 고르세요.

> The fire engine pumps water.

① 　　② 　　③

④ 　　⑤

3 다음 중 소방관들이 특별한 옷을 입는 이유를 고르세요.

① 소방관들을 시원하게 해준다.　　② 소방관들과 일반 시민을 구별한다.

③ 소방관들을 추위에서 보호해 준다.　④ 환자들을 안전하게 구해줄 수 있다.

⑤ 화재로 인한 열에서 소방관들을 보호해 준다.

4 다음 대화의 빈칸에 알맞은 말을 쓰세요.

> A Where can we see firefighters and fire engines?
>
> B We can see them at a _____.

WORDS

□ **firefighter** 소방관　□ **put out** 끄다　□ **building** 건물　□ **rescue** 구하다　□ **in danger** 위험에 처한

□ **fire engine** 소방차　□ **pump** 퍼붓다　□ **fire station** 소방서　□ **special** 특별한　□ **clothes** 옷

□ **protect** 보호하다　□ **heat** 열기　□ **important** 중요한　□ **role** 역할

WORD CHECK

1 다음 단어와 그림을 연결하세요.

(1) 　　(2) 　　(3) 　　(4)

A. fire engine 　　B. fire station 　　C. firefighters 　　D. fire

2 다음 중 빈칸에 들어갈 알맞은 말을 고르세요.

> There are firefighters in cities and towns.
> Their job is to _____ fires.

① rescue 　　　② put out 　　　③ wear

④ have 　　　⑤ play

3 다음 우리말과 같도록 빈칸에 알맞은 단어를 골라 쓰세요.

(1) They _____ people in danger. (like / rescue)

그들은 위험에 처한 사람들을 구한다.

(2) Firefighters wear special _____. (clothes / glasses)

소방관들은 특별한 옷을 입는다.

(3) They play an _____ role in our life. (important / sad)

그들은 우리 삶에서 중요한 역할을 한다.

GRAMMAR TIME

인칭대명사의 목적격

1 앞에 나온 주어가 동사의 대상이 될 때 인칭대명사 목적격을 사용합니다.

2 인칭대명사 목적격은 '~을', '~를'로 해석합니다.

3 인칭대명사 목적격은 동사 다음에 위치합니다.

me (나를)	you (너를)	him (그를)	her (그녀를)
it (그것을)	you (너희들을)	them (그들을)	us (우리를)

Jane is my friend. I like **her**.
제인은 나의 친구다. 나는 그녀를 좋아한다.

Jane and Susan are my friends. I like **them**.
제인과 수잔은 나의 친구들이다. 나는 그들을 좋아한다.

Jane and I learn English. Mr. Kim teaches **us**.
제인과 나는 영어를 배운다. 김 선생님은 우리를 가르친다.

1 다음 빈칸에 들어갈 알맞은 말을 고르세요.

My mom tells me funny stories. I enjoy spending time with _____ .

① it   ② her   ③ him
④ them   ⑤ me

2 다음 괄호 안에서 알맞은 것을 고르세요.

(1) Sally is my sister. I love (her / him / them).

(2) The strawberries are very sweet. I eat (it / her / him / them) every day.

UNIT 3 My Part Time Job

TR 1-12

I have a part time job in summer.

My job is to mow the lawn.

I mow my neighbor's lawn.

I mow the lawn with a lawnmower.

I wear eye protection and other safety gear.

My neighbor pays me for my hard work.

I'm saving money to buy a new computer.

Mowing the lawn is not easy, but I like it.

1 다음 문장이 이 글의 내용과 같으면 **T**에 동그라미를, 다르면 **F**에 동그라미 하세요.

(1) I mow my neighbor's lawn in fall.   T   F

(2) I like mowing the lawn.   T   F

(3) My mom pays me for my part time job.   T   F

2 다음 중 글쓴이 모습으로 알맞은 것을 고르세요.

①  ②  ③  ④  ⑤

3 다음 중 밑줄 친 <u>it</u>이 가리키는 것을 고르세요.

① saving money   ② wearing eye protection

③ mowing the lawn   ④ buying a new computer

⑤ doing homework

4 다음 빈칸에 알맞은 말을 쓰세요.

> My part time job is to ＿＿＿＿＿＿＿＿＿ the lawn.

WORDS ··

☐ **part time job** 아르바이트   ☐ **mow** 깎다   ☐ **lawn** 잔디   ☐ **neighbor** 이웃

☐ **lawnmower** 잔디 깎는 기계   ☐ **protection** 보호   ☐ **safety gear** 안전 장비   ☐ **pay** 지불하다

☐ **save** 모으다

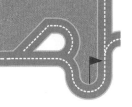

1 다음 단어와 그림을 연결하세요.

(1)  (2)  (3)  (4)

· · · ·

· · · ·

A. mow the lawn   B. lawnmower   C. eye protection   D. save money

2 다음 그림과 관련 있는 단어를 고르세요.

① safety gear   ② computer   ③ part time job
④ summer   ⑤ my neighbor

3 다음 우리말과 같도록 빈칸에 알맞은 단어를 골라 쓰세요.

(1) Learning a language is not _____. (easy / safe)
언어를 배우는 것은 쉽지 않다.

(2) My neighbors _____ my hard work.
내 이웃들이 나의 힘든 일에 대해 지불한다.   (take care of / pay me for)

(3) I'm _____ money to buy a new computer. (saving / mowing)
나는 새로운 컴퓨터를 사기 위해 돈을 모으고 있다.

인칭대명사의 소유격

1 사물이 누구의 것인지 나타낼 때 소유격을 사용합니다.
2 소유격은 명사 앞에 쓰고 '~의'라고 해석합니다.

my computer (나의 컴퓨터)	**your** book (너의 책)	**his** bag (그의 가방)	**her** doll (그녀의 인형)
their dog (그들의 개)	**our** house (우리의 집)	**its** bone (그것의 뼈)	**your** school (너희들의 학교)

1 다음 우리말과 같도록 괄호 안에서 알맞은 것을 고르세요.

(1) Mr. Kim has a car. (It / His / Their) car is very fast.

김 씨는 자동차가 있다. 그의 자동차는 매우 빠르다.

(2) Did you see (my / me / you) cell phone? I can't find it anywhere.

너는 나의 핸드폰을 봤니? 어디에서도 그것을 찾을 수가 없다.

(3) Susan has long hair. I like (its / her / our) hairstyle.

수잔은 머리가 길다. 나는 그녀의 머리 스타일을 좋아한다.

(4) He's from Korea. He loves (its / his / her) country.

그는 한국에서 왔다. 그는 그의 나라를 사랑한다.

(5) Ms. Brown teaches you English. She is (his / your / its) teacher.

브라운 선생님은 너에게 영어를 가르친다. 그녀는 너의 선생님이다.

(6) This is not my book. This is (your / his / her) book.

이것은 나의 책이 아니다. 이것은 그녀의 책이다.

(7) Jack and Tony have a dog. I take care of (them / their / they) dog.

잭과 토니는 개가 있다. 나는 그들의 개를 돌본다.

Answers p.11

[01-03] 다음 중 빈칸에 들어갈 알맞은 말을 고르세요.

01

My sister is 13 years old. _____ likes reading books.

① I   ② He   ③ She
④ It   ⑤ You

02

My friends are at the cafeteria. _____ are hungry.

① I   ② He   ③ She
④ They   ⑤ We

03

He's from Korea. He loves _____ country.

① your   ② my   ③ their
④ his   ⑤ her

04 다음 중 빈칸에 들어갈 말로 짝지어진 것을 고르세요.

• Jane and Susan are my friends. I like _____.
• Jane and I are students. _____ go to the same school.

① him – They   ② them – They   ③ her – We
④ them – You   ⑤ them – We

[05-06] 다음 중 빈칸에 들어갈 알맞은 말을 고르세요.

05

Firefighters _____ special clothes.

① wear   ② protect   ③ learn

④ play   ⑤ sell

06

She is a nurse. She takes care of _____.

① hospitals   ② jobs   ③ teachers

④ patients   ⑤ students

07 다음 중 그림을 보고 빈칸에 들어갈 알맞은 말을 고르세요.

My job is to _____ the lawn.

① water   ② mow   ③ clean

④ move   ⑤ plant

08 다음 중 빈칸에 공통으로 들어갈 알맞은 말을 고르세요.

· I have a part time _____ in summer.

· His _____ is to teach English.

① money   ② job   ③ school

④ uncle   ⑤ hobby

My dad is a teacher.

He teaches history at a high school.

He's always busy.

My uncle Peter is a firefighter.

His job is to put out fires.

He's very brave.

My cousin Jessie works at an Italian restaurant.

She's a _____.

She makes spaghetti and pizza.

She likes cooking.

She loves her job.

09 다음 문장이 이 글의 내용과 같으면 T에 동그라미를, 다르면 F에 동그라미 하세요.

(1) My dad teaches history to high school students.   T   F

(2) My uncle Peter is always busy.   T   F

(3) Jessie likes her job.   T   F

10 다음 중 이 글의 빈칸에 들어갈 말을 고르세요.

① nurse   ② chef   ③ doctor

④ teacher   ⑤ nurse

11 다음 중 밑줄 친 것이 올바르지 않은 것을 고르세요.

① Mr. Kim is my teacher. I like him.

② Jane and Susan are my friends. I like them.

③ Jessie is my cousin. I love her.

④ Susan has a dog. I like its dog.

⑤ The girls are in the room. They are my friends.

12 다음 보기에서 빈칸에 알맞은 말을 골라 쓰세요.

easy	fire station	nurse

(1) My mom is a _____. She works at a hospital.

(2) We can see firefighters and fire engines at a _____.

(3) Learning English is not _____, but I like it.

13 다음 밑줄 친 **They**가 의미하는 것을 쓰세요.

> There are firefighters in cities and towns.
> They put out fires in buildings.

_____

14 다음 영어를 우리말로 쓰세요.

(1) I mow my neighbor's lawn.

_____

(2) Mr. Kevin teaches us English.

_____

15 다음 밑줄 친 부분을 바르게 고치세요.

> I have a brother. I love her very much.

_____

 다음 단어의 뜻을 쓰고, 단어를 세 번씩 더 써보세요.

01	**brave**	용감한	brave	brave	brave
02	**building**				
03	**busy**				
04	**chef**				
05	**clothes**				
06	**firefighter**				
07	**history**				
08	**hospital**				
09	**important**				
10	**lawn**				
11	**neighbor**				
12	**nurse**				
13	**patient**				
14	**protect**				
15	**rescue**				

Chapter 5
Family

My Family

TR 1-13

There are 4 people in my family.

They are my father, my mother, my sister, and me.

My father is a soldier.

He's tall and strong.

My mother is a banker.

She is short and slim.

My sister attends high school.

She is 17 years old.

I'm an elementary school _____.

I'm 11 years old.

I'm in the 4th grade.

I love my family very much.

READING CHECK

1 다음 문장이 이 글의 내용과 같으면 T에 동그라미를, 다르면 F에 동그라미 하세요.

(1) My father is tall and strong.   T   F

(2) My mom is a housewife.   T   F

(3) My sister goes to high school.   T   F

2 다음 중 글쓴이의 어머니가 일하는 장소로 알맞은 것을 고르세요.

①    ②    ③

④   ⑤

3 다음 중 빈칸에 들어갈 알맞은 말을 고르세요.

① teacher   ② doctor   ③ scientist
④ brother   ⑤ student

4 다음 대화의 빈칸에 알맞은 말을 영어로 쓰세요.

> **A** How old is your sister?
> **B** She's _____ years old.

WORDS

□ **family** 가족   □ **soldier** 군인   □ **strong** 강한   □ **banker** 은행원   □ **slim** 날씬한

□ **attend** 다니다   □ **elementary school** 초등학교   □ **grade** 학년

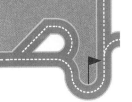

WORD CHECK

1 다음 단어와 그림을 연결하세요.

(1) 　(2) 　(3) 　(4)

　•　　　　•　　　　•　　　　•

　•　　　　•　　　　•　　　　•

A. strong　　B. slim　　C. soldier　　D. family

2 다음 중 보기의 내용과 같은 그림을 고르세요.

> There are 4 people in my family.
> They are my father, my mother, my little sister, and me.

① 　② 　③ 　④ 　⑤

3 다음 우리말과 같도록 빈칸에 알맞은 단어를 골라 쓰세요.

(1) My sister is tall and _____. (slim / weak)
　　나의 누나는 키가 크고 날씬하다.

(2) I'm an _____ school student. (middle / elementary)
　　나는 초등학교 학생이다.

(3) I'm in the _____ grade. (four / fourth)
　　나는 4학년이다.

GRAMMAR TIME

There is / are의 쓰임과 의미

1 There is / There are는 '~이 있다'라는 의미로 there는 우리말로 해석하지 않아도 됩니다.
2 There is 다음에는 단수명사가 오고, There are 다음에는 복수명사가 옵니다.

There is+(a/an) 단수명사 (~이 있다)	There is **a book** on the desk. 책상 위에 책이 있다. There is **an apple** on the table. 식탁 위에 사과가 있다.
There are+(some) 복수명사 (~들이 있다)	There are **books** on the desk. 책상 위에 책들이 있다. There are (some) **apples** on the table. 식탁 위에 사과들이 (조금) 있다.

1 다음 괄호 안에서 알맞은 것을 고르세요.

(1) There (is / are) a book on the desk.

(2) There is (a dog / dogs) under the table.

(3) There (is / are) books on the desk.

(4) There are some (apple / apples) on the table.

(5) There are (a student / students) in the classroom.

(6) There (is / are) some water in the glass.

TR 1-14

My older brother's name is Minsu.

He is 13 years old.

He is in the 6th grade.

He likes reading books.

He is good at baseball.

We go to the _____ elementary school.

We share the same bed.

He takes care of me when our parents go out.

Sometimes he helps me with my homework.

My brother is tall and handsome.

I love him very much.

1 다음 중 이 글이 무엇에 관한 내용인지 고르세요.

① my teacher ② my parents ③ my pets
④ my older brother ⑤ my friends

2 다음 중 나의 형의 모습과 관련 <u>없는</u> 그림을 고르세요.

①   ② ③

④   ⑤

3 다음 중 빈칸에 들어갈 알맞은 말을 고르세요.

① early ② same ③ tall
④ difficult ⑤ long

4 다음 중 보기 질문의 대답으로 알맞은 것을 고르세요.

> What does your brother look like?

① He takes care of me. ② He helps me with my homework.
③ He goes to elementary school. ④ He is tall and handsome.
⑤ He likes reading books.

WORDS ┄┄┄┄┄┄┄┄┄┄┄┄┄┄┄┄┄┄┄┄┄┄┄┄┄┄┄┄┄┄┄┄┄┄┄┄

□ **grade** 학년 □ **baseball** 야구 □ **same** 같은 □ **elementary school** 초등학교

□ **share** 공유하다 □ **take care of** ~을 돌보다 □ **parents** 부모 □ **go out** 외출하다

□ **sometimes** 때때로 □ **homework** 숙제 □ **handsome** 잘생긴

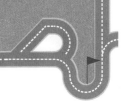

1 다음 단어와 그림을 연결하세요.

(1)

(2)

(3)

(4)

· · · ·

· · · ·

A. baseball   B. bed   C. homework   D. parents

2 다음 단어의 반대말을 찾아 연결하세요.

(1) tall •   • A. short

(2) handsome •   • B. bad

(3) good •   • C. ugly

3 다음 우리말과 같도록 빈칸에 알맞은 단어를 골라 쓰세요.

(1) He is _____ at baseball. (good / bad)
그는 야구를 잘한다.

(2) He takes care of me when our parents _____. (go out / come in)
부모님이 외출하면 그가 나를 돌봐준다.

(3) My brother is in the 6th _____. (year / grade)
나의 형은 6학년이다.

GRAMMAR TIME

기수와 서수 I

1 기수는 개수(~ 개, ~ 명)를 나타내며, 서수는 순서(~ 번째)를 나타내는 말입니다.

2 서수는 보통 앞에 the를 붙이나, 생략해서 사용하는 경우도 있습니다.

기수		서수	
1	one	1st	first
2	two	2nd	second
3	three	3rd	third
4	four	4th	fourth
5	five	5th	fifth
6	six	6th	sixth
7	seven	7th	seventh
8	eight	8th	eighth
9	nine	9th	ninth
10	ten	10th	tenth

A: How many pencils do you have? 너는 연필을 몇 개 가지고 있니?

B: I have **three**. 세 개 가지고 있어.

A: When is your birthday? 네 생일이 언제니?

B: It's July the **tenth**. 7월 10일이야.

---

1 다음 우리말과 같도록 대화의 빈칸에 들어갈 알맞은 말을 쓰세요.

(1) A When is your birthday? 네 생일이 언제니?

    B It's October the _____. 10월 1일이야.

(2) A How many apples do you have? 너는 사과를 몇 개 가지고 있니?

    B I have _____. 5개 있어.

My Grandmother

TR 1-15

I live with my grandmother.

She is 71 years old.

She is very healthy.

She is tall and thin.

She wears glasses when she reads books.

She always gets up <u>early</u> in the morning.

Her hobbies are gardening and birdwatching.

Sometimes she makes me dinner.

She tells me funny stories.

I enjoy spending time with _____.

I love her very much.

1 다음 중 이 글의 내용과 <u>다른</u> 것을 고르세요.

① 나는 할머니와 함께 살고 있다.

② 나의 할머니는 건강하시다.

③ 나의 할머니의 취미는 새를 관찰하는 것이다.

④ 나의 할머니는 일찍 주무신다.

⑤ 나는 할머니와 시간을 보내는 것이 즐겁다.

2 다음 중 나의 할머니와 관련 <u>없는</u> 그림을 고르세요.

①   ②    ③

④   ⑤

3 다음 중 밑줄 친 **early**의 반대말을 고르세요.

① late   ② funny   ③ thin

④ tall   ⑤ healthy

4 다음 중 빈칸에 들어갈 알맞은 말을 고르세요.

① it   ② him   ③ us

④ her   ⑤ them

WORDS

☐ **grandmother** 할머니   ☐ **healthy** 건강한   ☐ **thin** 마른   ☐ **glasses** 안경   ☐ **always** 언제나

☐ **early** 일찍   ☐ **hobby** 취미   ☐ **gardening** 정원일   ☐ **birdwatching** 새 관찰   ☐ **funny** 재미있는

☐ **enjoy** 즐기다   ☐ **spend** (시간을) 보내다

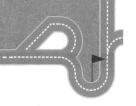

WORD CHECK

1 다음 단어와 그림을 연결하세요.

(1) 　(2) 　(3) 　(4)

·　　　　·　　　　·　　　　·

·　　　　·　　　　·　　　　·

A. healthy　　B. grandmother　　C. get up　　D. bird

2 다음 중 밑줄 친 것을 대신해 쓸 수 있는 말을 고르세요.

> She tells me <u>funny</u> stories.

① bad　　　　② boring　　　　③ ugly
④ slow　　　　⑤ interesting

3 다음 우리말과 같도록 빈칸에 알맞은 단어를 골라 쓰세요.

(1) She _____ glasses when she reads books. (wears / buys)
그녀는 책을 읽을 때 안경을 쓴다.

(2) She is _____ years old. (sixty-one / seventy-one)
그녀는 71세다.

(3) Sometimes she _____ me dinner. (calls / makes)
때때로 그녀는 내게 저녁식사를 만들어 준다.

GRAMMAR TIME

동사의 현재시제

1 동사의 현재시제는 현재의 일이나 항상 사실인 것에 씁니다.

2 현재시제에는 동사의 원형을 쓰지만, 주어가 3인칭 단수(she, he, it 등)일 때에는 동사 뒤에 -s나 -es를 붙입니다.

I / You 나/너	run fast.
He / She / It 그/그녀/그것	runs fast.
We / They 우리/그들	run fast.

3 다음 동사들의 3인칭 단수형은 무조건 익혀두는 것이 좋습니다.

go – goes   have – has   study – studies

1 다음 괄호 안에서 알맞은 것을 고르세요.

(1) Sara (go / goes) to the park every day.

(2) They (play / plays) soccer after school.

(3) He (have / has) a new computer.

(4) I (listen / listens) to music on the radio.

2 다음 밑줄 친 부분을 바르게 고치세요.

(1) We goes home after school. _____

우리는 방과 후에 집에 간다.

(2) She love her friends _____

그녀는 그녀의 친구들을 사랑한다.

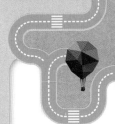
01 다음 중 연결이 바르지 <u>않은</u> 것을 고르세요.

① one – first   ② four – fourth   ③ six – sixth

④ nine – nineth   ⑤ ten – tenth

[02-03] 다음 중 빈칸에 들어갈 알맞은 말을 고르세요.

02
There is _____ in the room.

① bed   ② some books   ③ a dog
④ cats   ⑤ two computers

03
She _____ English every day.

① study   ② studying   ③ studys
④ studies   ⑤ studyies

04 다음 중 빈칸에 들어갈 말로 짝지어진 것을 고르세요.

· Sara _____ to the museum every Sunday.
· He _____ a new car.

① go – have   ② go – has   ③ goes – has
④ goes – have   ⑤ going – having

[05-06] 다음 중 빈칸에 들어갈 알맞은 말을 고르세요.

05

My sister _____ high school.

① wears   ② studies   ③ teaches

④ plays   ⑤ attends

06

I love my family very _____.

① well   ② much   ③ enough

④ many   ⑤ good

07 다음 중 그림을 보고 빈칸에 들어갈 알맞은 말을 고르세요.

He wears _____ when he reads books.

① pants   ② gloves   ③ shirts

④ jackets   ⑤ glasses

08 다음 중 빈칸에 공통으로 들어갈 알맞은 말을 고르세요.

· We go to the _____ elementary school.
· We share the _____ bed.

① handsome   ② tall   ③ same

④ red   ⑤ strong

[09-10] 다음을 읽고 질문에 답하세요.

> My brother is 13 years old.
>
> He is in the 6th grade.
>
> He likes reading books.
>
> He is good at baseball.
>
> My brother and I share the same room.
>
> He takes care of me when our parents go out.
>
> Sometimes he helps me with my homework.
>
> My brother is tall and handsome.

09 다음 문장이 이 글의 내용과 같으면 **T**에 동그라미를, 다르면 **F**에 동그라미하세요.

(1) I share a room with my brother. T F

(2) My brother plays baseball very well. T F

(3) My brother always helps me with my homework. T F

10 다음 중 이 글에서 나의 형에 대해 알 수 <u>없는</u> 것을 고르세요.

① age ② hobby ③ appearance
④ school year ⑤ name

11 다음 중 밑줄 친 것이 올바르지 <u>않은</u> 것을 고르세요.

① Sara <u>takes</u> a walk every day.

② They <u>plays</u> soccer after school.

③ She <u>has</u> a new computer.

④ Kevin <u>listens</u> to music on the radio.

⑤ The girls <u>go</u> to school by bus.

12 다음 보기에서 빈칸에 알맞은 말을 골라 쓰세요.

> **strong**   **grade**   **baseball**

(1) Sam is 12 years old and he is in the 5th _____.

(2) She is small but _____.

(3) My favorite sport is _____.

13 다음 주어진 단어를 이용하여 빈칸에 알맞은 말을 쓰세요.

> My office is on the _____ floor. (six)

_____

14 다음 영어를 우리말로 쓰세요.

(1) Sometimes she makes me dinner.

_____

(2) She is tall and thin.

_____

15 다음 대화의 밑줄 친 부분을 바르게 고치세요.

> **A** When is your birthday? 네 생일이 언제니?
>
> **B** It's October the <u>two</u>. 10월 2일이야.

_____

WORD MASTER

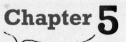

TR 1-15-W

 다음 단어의 뜻을 쓰고, 단어를 세 번씩 더 써보세요.

01	always	언제나	always	always	always
02	banker				
03	computer				
04	enjoy				
05	enough				
06	family				
07	funny				
08	grade				
09	healthy				
10	homework				
11	parents				
12	slim				
13	soldier				
14	strong				
15	thin				

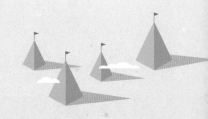

Chapter 6
Places

Aquarium

TR 1-16

Mike and I visit an aquarium.

We can see fish and sea animals in the aquarium.

There is a underwater tunnel in the aquarium.

We can see sharks in the underwater tunnel.

We can also see penguins in the aquarium.

A woman is feeding the penguins.

We visit a touch tank.

There are small sharks in the tank.

Mike tries to touch <u>one</u> of the sharks.

Oh, no. It runs away!

1 다음 중 이 글의 내용과 <u>다른</u> 것을 고르세요.

① 나는 Mike와 아쿠아리움을 방문하고 있다.

② 여성이 펭귄에게 먹이를 주고 있다.

③ 아쿠아리움에는 수중 터널이 있다.

④ 아쿠아리움에서 해양생물을 만질 수도 있다.

⑤ Mike는 작은 상어를 무서워한다.

2 다음 중 밑줄 친 **one**이 의미하는 것을 고르세요.

① a shark   ② a penguin   ③ a touch tank
④ woman   ⑤ fish

3 다음 중 빈칸에 들어갈 말로 적당하지 <u>않은</u> 것을 고르세요.

> We can see _____ in the aquarium.

① sharks   ② a lot of fish   ③ penguins
④ cows   ⑤ sea animals

4 다음 대화의 빈칸에 알맞은 말을 쓰세요.

> A What is in the touch tank?
> B There are _____ in the tank.

WORDS ···

□ **visit** 방문하다   □ **aquarium** 아쿠아리움, 수족관   □ **underwater** 수중의   □ **tunnel** 터널

□ **shark** 상어   □ **penguin** 펭귄   □ **feed** 먹이를 주다   □ **touch tank** 터치 탱크(만질 수 있는 대형 수조)

□ **run away** 도망가다

1 다음 단어와 그림을 연결하세요.

(1)  (2)  (3)  (4)

A. aquarium   B. shark   C. penguin   D. run away

2 다음 중 sea animals와 관련 없는 것을 고르세요.

① whale   ② dolphin   ③ shark

④ zebra   ⑤ sea turtle

3 다음 우리말과 같도록 빈칸에 알맞은 단어를 골라 쓰세요.

(1) Mike and I _____ a museum. (go / visit)

마이크와 나는 박물관을 방문한다.

(2) A woman is _____ the birds. (feeding / eating)

한 여성이 새들에게 먹이를 주고 있다.

(3) We _____ also see penguins in the aquarium. (can / cans)

우리는 아쿠아리움에서 펭귄들도 볼 수 있다.

GRAMMAR TIME

현재와 현재진행형의 의미와 쓰임

1 현재는 일상적인 습관이나 현재의 상태 등을 나타내며, 일반동사의 현재형으로 씁니다.

2 현재진행형은 말하고 있는 지금 이 순간에 일어나고 있는 일을 나타내는 표현으로, '~하는 중이다' 또는 '~하고 있다'로 해석합니다.

3 현재진행형의 형태

be동사의 현재형(am, are, is) 뒤에 [일반동사+-ing] 형태를 씁니다.	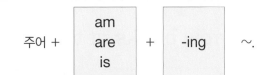 **I am singing** a song. 나는 노래를 부르고 있다. We **are dancing** to the music. 우리는 음악에 맞춰 춤추고 있다.

---

1 다음 우리말과 같도록 괄호 안에서 알맞은 것을 고르세요.

(1) I (study / am studying) math on Monday. 나는 월요일에 수학을 공부한다.

   I (study / am studying) math now. 나는 지금 수학을 공부하고 있다.

(2) She (works / is working) hard. 그녀는 열심히 일하고 있다.

   She (works / is working) hard every day. 그녀는 매일 열심히 일한다.

(3) They (eat / are eating) pizza. 그들은 피자를 먹고 있다.

   They (eat / are eating) pizza for lunch. 그들은 점심식사로 피자를 먹는다.

(4) He (is playing / plays) baseball. 그는 야구를 하고 있다.

   He (is playing / plays) baseball after school. 그는 방과 후 야구를 한다.

(5) Mike (takes / is taking) a walk every day. 마이크는 매일 산책한다.

   Mike (takes / is taking) a walk now. 마이크는 지금 산책하고 있다.

There is a bakery in my town.

We can buy fresh bread at the bakery.

There is a library in my town.

We can borrow books at the library.

There is a drugstore in my town.

We can get medicine at the drugstore.

There is a gas station in my town.

We can fill up our cars at the gas station.

There is a baseball stadium in my town.

We can watch baseball games at the baseball stadium.

My town is small, but I love to live here.

1 다음 중 이 글에서 언급하지 <u>않은</u> 그림을 고르세요.

①  ②  ③

④  ⑤

2 다음 문장이 이 글의 내용과 같으면 T에 동그라미를, 다르면 F에 동그라미 하세요.

(1) We can get medicine at the gas station.　　T　　F

(2) There is a swimming pool in my town.　　T　　F

(3) We can buy fresh bread at the bakery.　　T　　F

3 다음 보기에서 빈칸에 알맞은 말을 골라 쓰세요.

cars	bread	books

(1) bakery – _____　　(2) gas station – _____

(3) library – _____

4 다음 대화의 빈칸에 알맞은 말을 쓰세요.

A Where can I borrow books?

B You can borrow books at a _____.

WORDS

□ **town** 동네, 마을　□ **bakery** 제과점　□ **library** 도서관　□ **borrow** 빌리다　□ **drugstore** 약국

□ **medicine** 약　□ **gas station** 주유소　□ **fill up** 가득 채우다　□ **baseball stadium** 야구장

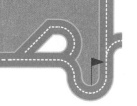
1 다음 단어와 그림을 연결하세요.

(1)

(2)

(3)

(4)

A. bakery   B. library   C. baseball stadium   D. medicine

2 다음 중 보기의 설명에 해당하는 그림을 고르세요.

> We can fill up our cars at the gas station.

①   ②   ③    ④   ⑤

3 다음 우리말과 같도록 빈칸에 알맞은 단어를 골라 쓰세요.

(1) Can I _____ your umbrella? (borrow / buy)

우산 좀 빌릴 수 있을까요?

(2) There is a _____ in my town. (drugstore / gas station)

나의 동네에 주유소가 있다.

(3) We can _____ baseball games at the baseball stadium.

우리는 야구장에서 야구 경기를 볼 수 있다.   (watch / play)

GRAMMAR TIME

can은 뒤에 오는 동사에 '~할 수 있다'라는 의미를 더하는 조동사입니다.

can (~할 수 있다)	can+동사원형(동사의 본래 모습) I **can run** fast. 나는 빨리 달릴 수 있다.
cannot (~할 수 없다)	cannot+동사원형(동사의 본래 모습) I **cannot run** fast. 나는 빨리 달릴 수 없다.

TIPS cannot은 줄여서 can't로 쓸 수 있습니다.

I **can't** run fast. 나는 빨리 달리 수 없다.

1 다음 우리말과 같도록 괄호 안에서 알맞은 것을 고르세요.

(1) They (can / can't) run fast.

그들은 빨리 달릴 수 있다.

(2) They (can / can't) run fast.

그들은 빨리 달릴 수 없다.

(3) I can (speak / speaks) English.

나는 영어로 말할 수 있다.

(4) We can't (swim / swims) in the sea.

우리는 바다에서 수영할 수 없다.

(5) She (can / can't) speak Korean.

그녀는 한국어로 말할 수 없다.

2 다음 주어진 단어를 우리말에 맞게 배열하세요.

> 토니는 영어로 매우 잘 말할 수 있다. (speak / English / can / very well)

Tony _____ .

TR 1-18

The White House is in Washington D.C.

Washington D.C. is the capital of the United States.

The president of the United States lives and works in the

White House.

The White House is painted _____.

So we call it the White House.

The White House is very big.

It has 35 bathrooms and 132 rooms.

It also has a swimming pool, a bowling lane, and a library.

A lot of tourists visit the White House every day.

The White House is one of the most visited landmarks

in the United States.

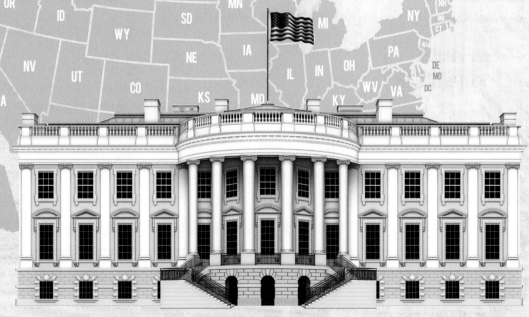

1 다음 중 이 글의 내용과 <u>다른</u> 것을 고르세요.

① 백악관은 Washington D.C.에 있다.

② 백악관은 미국 대통령이 일하는 곳이다.

③ 백악관에는 수영장이 있다.

④ 백악관에는 많은 관광객들이 방문한다.

⑤ 미국에는 백악관과 비슷한 건물이 많다.

2 다음 중 밑줄 친 <u>it</u>이 의미하는 것을 고르세요.

① the White House   ② Washington D.C.

③ the United States   ④ the capital

⑤ the president

3 다음 중 빈칸에 들어갈 알맞은 말을 고르세요.

① yellow   ② pink   ③ white

④ green   ⑤ black

4 다음 대화의 빈칸에 알맞은 말을 쓰세요.

> **A** How many rooms are there in the White House?
>
> **B** There are ＿＿＿＿＿＿＿＿ rooms.

WORDS

□ **White House** 백악관(미국 대통령 관저)   □ **capital** 수도   □ **the United States** 미국

□ **president** 대통령   □ **call** 부르다   □ **bathroom** 화장실   □ **bowling lane** 볼링장

□ **tourist** 관광객   □ **landmark** 명소

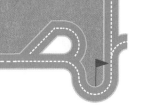
1 다음 단어와 그림을 연결하세요.

(1)

(2)

(3)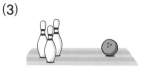

(4)

A. the United States   B. bathroom   C. White House   D. bowling

2 다음 중 미국의 백악관과 관련 <u>없는</u> 단어를 고르세요.

① Washington D.C.   ② the United States
③ white   ④ baseball
⑤ landmark

3 다음 우리말과 같도록 빈칸에 알맞은 단어를 골라 쓰세요.

(1) Washington D.C. is the _____ of the United States.

워싱턴 D.C.는 미국의 수도다.   (city / capital)

(2) We _____ it the White House. (call / speak)

우리는 그것을 백악관이라고 부른다.

(3) The _____ of the United States lives in the White House.

미국의 대통령이 백악관에 산다.   (president / principal)

GRAMMAR TIME

1 명사 앞에는 a, an 외에 정관사라고 불리는 the가 올 수 있습니다.

the sun 태양   **the** moon 달

the sky 하늘   **the** sea 바다

2 the는 단수, 복수, 셀 수 없는 명사 앞에 와서 '그 ~'라고 해석합니다.

the teacher 그 선생님   **the** students 그 학생들   **the** water 그 물

3 the는 세상에 유일한 것이나, 말하는 사람이나 듣는 사람이 서로 무엇인지 알고 말할 때 사용합니다.

The moon is bright. 달이 밝다. (달은 세상에 유일한 것)

Open **the** window. 창문을 열어라. (말하는 사람과 듣는 사람이 모두 어떤 창문인지 알고 있음)

4 처음 명사를 말할 때는 a 또는 an을 쓰고, 뒤에 다시 그 명사를 말할 때는 the를 씁니다.

I have <u>an apple</u>. **The** apple is red. 나는 사과가 있다. 그 사과는 빨간색이다.

I have <u>some books</u>. **The** books are very thick. 나는 책이 좀 있다. 그 책들은 매우 두껍다.

1 다음 괄호 안에서 알맞은 것을 고르세요.

(1) (A / An / The) sun is shining.

(2) I have a dog. (A / An / The) dog is lovely.

(3) I have (a / an / the) sandwich. (A / An / The) sandwich is delicious.

(4) She has some cheese. (A / An / The) cheese tastes good.

2 다음 우리말과 같도록 빈칸에 들어갈 말이 바르게 짝지어진 것을 고르세요.

> I have _____ dog. _____ dog is very fast.
>
> 나는 개가 있다. 그 개는 매우 빠르다.

① the – A   ② the – The   ③ 없음 – The

④ a – The   ⑤ an – An

01 다음 중 올바르지 <u>않은</u> 문장을 고르세요.

① We don't eat rice.   ② I have a new computer.

③ She has an apple.   ④ We live in Busan.

⑤ I can't speaks Korean.

[02-03] 다음 중 빈칸에 들어갈 알맞은 말을 고르세요.

02

> Tony can ＿＿＿＿＿ the guitar.

① playing   ② to play   ③ to playing

④ plays   ⑤ play

03

> They ＿＿＿＿＿ pizza now.

① is eating   ② are eating   ③ eats

④ eating   ⑤ is eat

04 다음 중 우리말과 같도록 빈칸에 들어갈 말이 바르게 짝지어진 것을 고르세요.

> • Sara ＿＿＿＿＿ early every day. 사라는 매일 일찍 일어난다.
> • He ＿＿＿＿＿ the car now. 그는 지금 세차를 하고 있다.

① get up – washes   ② get up – is washing

③ is getting up – wash   ④ gets up – is washing

⑤ gets up – washing

[05-06] 다음 중 빈칸에 들어갈 알맞은 말을 고르세요.

05 We can see fish and sea animals in the _____.

① playground   ② aquarium   ③ museum
④ library   ⑤ gym

06 The sky is blue and the air is _____.

① fresh   ② small   ③ enough
④ tiny   ⑤ full

07 다음 중 그림을 보고 빈칸에 들어갈 알맞은 말을 고르세요.

He is _____ the dog.

① feeding   ② bathing   ③ training
④ playing   ⑤ walking

08 다음 중 빈칸에 공통으로 들어갈 알맞은 말을 고르세요.

· Mike tries to touch _____ of the sharks.
· The White House is _____ of the most visited landmarks in the United States.

① a lot   ② one   ③ any
④ many   ⑤ some

[09-10] 다음을 읽고 질문에 답하세요.

> The White House is in Washington D.C.
>
> The president of the United States lives and works in the White
> House.
>
> The White House is painted white.
>
> So we call it the White House.
>
> The White House is very big.
>
> It has 35 bathrooms and 132 rooms.
>
> It also has a swimming pool, a bowling lane, and a library.
>
> A lot of tourists _____ the White House every day.

09 다음 중 이 글에서 언급하지 <u>않은</u> 것을 고르세요.

① 백악관의 위치 　　　　　② 백악관이라고 불리는 이유

③ 백악관의 시설 　　　　　④ 백악관의 쓰임

⑤ 백악관의 높이

10 다음 중 이 글의 빈칸에 들어갈 말을 고르세요.

① paint 　　　　② visit 　　　　③ walk

④ listen 　　　　⑤ watch

11 다음 중 빈칸에 들어갈 말이 바르게 짝지어진 것을 고르세요.

> · We can _____ books at the library.
>
> · We can get _____ at the drugstore.

① buy – bakery 　　② read – gas 　　③ borrow – medicine

④ see – tickets 　　⑤ get – meat

12 다음 보기에서 빈칸에 들어갈 알맞은 말을 골라 쓰세요.

| watch | bathroom | capital |

(1) We can _____ baseball games at the baseball stadium.

(2) The _____ of Korea is Seoul.

(3) There is a _____ downstairs.

13 다음 우리말과 같도록 주어진 단어를 이용하여 빈칸에 알맞은 말을 쓰세요.

I _____ speak English fluently. (can)
나는 영어로 유창하게 말할 수 없다.

_____

14 다음 영어를 우리말로 쓰세요.

(1) We can buy fresh bread at the bakery.

_____

(2) We can also see penguins in the aquarium.

_____

15 다음 대화의 빈칸에 주어진 단어를 이용하여 알맞은 말을 쓰세요.

A What are you doing now?
B I'm _____ cookies. (bake)

_____

다음 단어의 뜻을 쓰고, 단어를 세 번씩 더 써보세요.

01	**bakery**	제과점	bakery	bakery	bakery
02	**bathroom**				
03	**borrow**				
04	**capital**				
05	**drugstore**				
06	**fresh**				
07	**landmark**				
08	**library**				
09	**medicine**				
10	**president**				
11	**shark**				
12	**stadium**				
13	**tourist**				
14	**town**				
15	**underwater**				

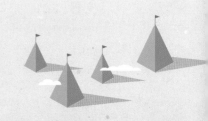

Memo

Memo

Longman

Reading

Mentor

joy

START 1

WORKBOOK

Pearson

WORKBOOK

1 다음 보기에서 의미와 일치하는 단어를 고르고 세 번 쓰세요.

farm	sleep	hungry	pond	tail	friend

01 친구 _____ _____ _____

02 배고픈 _____ _____ _____

03 연못 _____ _____ _____

04 꼬리 _____ _____ _____

05 농장 _____ _____ _____

06 잠자다 _____ _____ _____

2 다음 중 우리말과 같도록 빈칸에 들어갈 알맞은 말을 고르세요.

01

There are many _____ on the farm.
농장에 많은 동물들이 산다.

① pigs   ② cows   ③ animals   ④ people   ⑤ cats

02

The _____ swim in the pond.
오리들은 연못에서 수영한다.

① eggs   ② cows   ③ animals   ④ ducks   ⑤ cats

3 다음 영어와 우리말을 연결하세요.

01 a short tail   •

02 my best friends •

03 hungry cows   •

• ⓐ 나의 가장 친한 친구들

• ⓑ 배고픈 소들

• ⓒ 짧은 꼬리

4 다음 문장에서 명사를 골라 동그라미 하세요.

01 There are many ducks in the pond.

02 The cow is very big.

03 Tony lives in Canada.

5 다음 영어를 우리말로 쓰세요.

01 The cows eat grass.

➡ _____

02 I like all the animals on the farm.

➡ _____

1 다음 보기에서 의미와 일치하는 단어를 고르고 세 번 쓰세요.

> bird   fly   strong   sharp   neck   Earth

01 지구   _____ _____ _____

02 새   _____ _____ _____

03 목   _____ _____ _____

04 날카로운   _____ _____ _____

05 날다   _____ _____ _____

06 강인한   _____ _____ _____

2 다음 중 우리말과 같도록 빈칸에 들어갈 알맞은 말을 고르세요.

01
> Giraffes have _____ necks.
>
> 기린은 긴 목을 가지고 있다.

① short   ② long   ③ strong   ④ high   ⑤ sharp

02
> Penguins can't _____.
>
> 펭귄들은 날 수 없다.

① have   ② fly   ③ live   ④ run   ⑤ jump

3 다음 영어와 우리말을 연결하세요.

01 run fast   •   • ⓐ 높이 뛰다

02 jump high   •   • ⓑ 뒷다리들

03 back legs   •   • ⓒ 빨리 달리다

4 다음 문장에서 동사를 골라 동그라미 하세요.

01 We study English.

02 I drink milk in the morning.

03 We live in Korea.

04 I like apples.

5 다음 영어를 우리말로 쓰세요.

01 Tigers have sharp teeth.

→ _____

02 Giraffes live in Africa.

→ _____

1 다음 보기에서 의미와 일치하는 단어를 고르고 세 번 쓰세요.

| dolphin | crab | octopus | seaweed | arm | starfish |

01 게 _____ _____ _____

02 해초 _____ _____ _____

03 문어 _____ _____ _____

04 팔 _____ _____ _____

05 돌고래 _____ _____ _____

06 불가사리 _____ _____ _____

2 다음 중 우리말과 같도록 빈칸에 들어갈 알맞은 말을 고르세요.

01

They swim very _____.

그들은 매우 빨리 수영한다.

① short   ② long   ③ slow   ④ high   ⑤ fast

02

The octopus is _____ the rock.

문어는 바위 위에 있다.

① at   ② to   ③ on   ④ in   ⑤ into

3 다음 영어와 우리말을 연결하세요.

01 eight arms   •

02 a dark cave   •

03 in the sea   •

• ⓐ 어두운 동굴

• ⓑ 8개의 팔

• ⓒ 바다에

4 다음 그림을 보고 보기에서 알맞은 전치사를 골라 빈칸에 쓰세요.

on	in	under

01 The apples are _____ the table.

02 The ball is _____ the table.

5 다음 영어를 우리말로 쓰세요.

01 The crabs like to eat seaweed.

→ _____

02 The starfish is at the bottom of the sea.

→ _____

1 다음 보기에서 의미와 일치하는 단어를 고르고 세 번 쓰세요.

begin	meet	long	tall	invite	together

01 초대하다 _____ _____ _____

02 키가 큰 _____ _____ _____

03 긴 _____ _____ _____

04 시작하다 _____ _____ _____

05 만나다 _____ _____ _____

06 함께 _____ _____ _____

2 다음 중 우리말과 같도록 빈칸에 들어갈 알맞은 말을 고르세요.

01

They are my new _____.

그들은 나의 새로운 반 친구다.

① schools   ② glasses   ③ classmates   ④ class   ⑤ hair

02

We eat _____ together.

우리는 함께 점심식사를 한다.

① dinner   ② lunch   ③ pizza   ④ hair   ⑤ candy

3 다음 영어와 우리말을 연결하세요.

01 a new school   •   • ⓐ 나 자신을 소개하다

02 long hair   •   • ⓑ 새로운 학교

03 introduce myself •   • ⓒ 긴 머리

4 다음 보기에서 빈칸에 알맞은 말을 골라 쓰세요.

am	is	are

01 I _____ a teacher.

02 Kevin _____ in the gym.

03 We _____ doctors.

04 They _____ my parents.

5 다음 영어를 우리말로 쓰세요.

01 Jim is tall and has short hair.

   → _____

02 I want to make new friends.

   → _____

1 다음 보기에서 의미와 일치하는 단어를 고르고 세 번 쓰세요.

> talk   same   read   different   watch   vegetable

01 같은 _____ _____ _____

02 읽다 _____ _____ _____

03 말하다 _____ _____ _____

04 다른 _____ _____ _____

05 야채 _____ _____ _____

06 보다 _____ _____ _____

2 다음 중 우리말과 같도록 빈칸에 들어갈 알맞은 말을 고르세요.

01

We often _____ together.
우리는 자주 함께 논다.

① read   ② play   ③ eat   ④ like   ⑤ live

02

My _____ is reading books.
나의 취미는 독서다.

① door   ② hobby   ③ friend   ④ school   ⑤ problem

3 다음 영어와 우리말을 연결하세요.

01 best friend · · ⓐ 큰 문제

02 the same school · · ⓑ 같은 학교

03 a big problem · · ⓒ 가장 친한 친구

4 다음 우리말과 같도록 보기에서 빈칸에 알맞은 말을 골라 쓰세요.

| is going to | are going to | are not going to |

01 We _____ play baseball.
우리는 야구를 할 것이다.

02 She _____ have dinner at 7 o'clock.
그녀는 7시에 저녁식사를 할 것이다.

03 They _____ visit the museum.
그들은 박물관을 방문하지 않을 것이다.

5 다음 영어를 우리말로 쓰세요.

01 Michelle lives next door.

→ _____

02 She likes watching cartoons.

→ _____

1 다음 보기에서 의미와 일치하는 단어를 고르고 세 번 쓰세요.

spend   sometimes   summer   help   hope   friendship

01 (시간을) 보내다 _____ _____ _____

02 여름 _____ _____ _____

03 우정 _____ _____ _____

04 희망하다 _____ _____ _____

05 때때로 _____ _____ _____

06 도와주다 _____ _____ _____

2 다음 중 우리말과 같도록 빈칸에 들어갈 알맞은 말을 고르세요.

01

I play baseball _____ them.
나는 그들과 야구를 한다.

① with   ② to   ③ about   ④ in   ⑤ on

02

In winter, we _____ together.
겨울에 우리는 함께 스케이트를 타러 간다.

① go swimming   ② go skating   ③ go camping
④ go fishing   ⑤ go shopping

3 다음 영어와 우리말을 연결하세요.

01 help each other •　　　　　　　• ⓐ 방과 후에

02 after school　•　　　　　　　• ⓑ 서로 돕다

03 for a long time •　　　　　　• ⓒ 오랫동안

4 다음 우리말과 같도록 보기에서 빈칸에 알맞은 말을 골라 쓰세요.

go camping　　　　go swimming　　　　go shopping

01 We want to _____.
　　우리는 쇼핑하러 가고 싶다.

02 They are going to _____ today.
　　그들은 오늘 캠핑 하러 갈 것이다.

03 I want to _____.
　　나는 수영하러 가고 싶다.

5 다음 영어를 우리말로 쓰세요.

01 I invite Tom and Cathy to my birthday party.

→ _____

02 We also study together.

→ _____

1 다음 보기에서 의미와 일치하는 단어를 고르고 세 번 쓰세요.

> story   dinner   author   advantage   increase   feel

01 느끼다 _____ _____ _____

02 이야기 _____ _____ _____

03 증가하다 _____ _____ _____

04 작가 _____ _____ _____

05 이점, 장점 _____ _____ _____

06 저녁식사 _____ _____ _____

2 다음 중 우리말과 같도록 빈칸에 들어갈 알맞은 말을 고르세요.

01

> There are a lot of advantages of _____ every day.
> 매일 책을 읽는 것은 많은 장점들이 있다.

① feeling   ② doing   ③ singing   ④ reading   ⑤ writing

02

> Her _____ author is J.K. Rowling.
> 그녀가 가장 좋아하는 작가는 제이 케이 롤링이다.

① hobby   ② favorite   ③ book   ④ story   ⑤ strong

3 다음 영어와 우리말을 연결하세요.

01 a happy ending •

• ⓐ 글쓰기 능력

02 writing skills •

• ⓑ 행복한 결말

03 after dinner •

• ⓒ 저녁식사 후에

4 다음 빈칸에 a나 an을 쓰세요. 둘 다 필요 없으면 X를 하세요.

01 They live in _____ London.

02 Do you have _____ eraser?

03 That is _____ zebra.

04 I like _____ David.

05 This is _____ orange.

5 다음 영어를 우리말로 쓰세요.

01 She usually reads books after dinner.

→ _____

02 Reading makes her feel relaxed and calm.

→ _____

1 다음 보기에서 의미와 일치하는 단어를 고르고 세 번 쓰세요.

| swim | now | high | dive | embarrassed | very |

01 다이빙하다 _____ _____ _____

02 지금 _____ _____ _____

03 수영하다 _____ _____ _____

04 높은 _____ _____ _____

05 당황한 _____ _____ _____

06 매우 _____ _____ _____

2 다음 중 우리말과 같도록 빈칸에 들어갈 알맞은 말을 고르세요.

01

He swims very _____.
그는 수영을 매우 잘한다.

① good ② well ③ fast ④ much ⑤ high

02

His swimming cap _____.
그의 수영 모자가 벗겨진다.

① comes in ② comes off ③ comes to
④ comes into ⑤ comes over

3 다음 영어와 우리말을 연결하세요.

01 feel embarrassed •   • ⓐ 매우 빠르게

02 3 days a week •   • ⓑ 당황하다

03 very fast •   • ⓒ 일주일에 3일

4 다음 우리말과 같도록 보기에서 빈칸에 알맞은 말을 골라 쓰세요.

> very   slowly   late   well

01 They are _____ tall.
그들은 키가 매우 크다.

02 He sings very _____.
그는 노래를 매우 잘한다.

03 She walks very _____.
그녀는 매우 천천히 걷는다.

04 My brother gets up very _____.
내 동생은 매우 늦게 일어난다.

5 다음 영어를 우리말로 쓰세요.

01 Kevin is in the swimming pool now.

→ _____

02 He goes swimming 3 days a week.

→ _____

1 다음 보기에서 의미와 일치하는 단어를 고르고 세 번 쓰세요.

free   listen   always   music   student   night

01 밤 _____ _____ _____

02 한가한 _____ _____ _____

03 항상 _____ _____ _____

04 듣다 _____ _____ _____

05 학생 _____ _____ _____

06 음악 _____ _____ _____

2 다음 중 우리말과 같도록 빈칸에 들어갈 알맞은 말을 고르세요.

01

She _____ a good dancer.
그녀는 훌륭한 댄서는 아니다.

① is   ② isn't   ③ are not   ④ am not   ⑤ doesn't

02

She always plays the music _____.
그녀는 항상 음악을 크게 튼다.

① carefully   ② loudly   ③ early   ④ late   ⑤ well

3 다음 영어와 우리말을 연결하세요.

01 at night   •   • ⓐ 음악을 듣다

02 turn down the volume •   • ⓑ 밤에

03 listen to music   •   • ⓒ 볼륨을 줄이다

4 다음 우리말과 같도록 보기에서 빈칸에 알맞은 말을 골라 쓰세요.

sometimes	always	often

01 He _____ takes a shower before breakfast.
그는 항상 아침식사 전에 샤워를 한다.

02 We _____ eat rice for lunch.
우리는 때때로 점심으로 밥을 먹는다.

03 They _____ play baseball after school.
그들은 자주 방과 후에 야구를 한다.

5 다음 영어를 우리말로 쓰세요.

01 She listens to music until late at night.

→ _____

02 She listens to music when she's free.

→ _____

1 다음 보기에서 의미와 일치하는 단어를 고르고 세 번 쓰세요.

> nurse patient teach history busy brave

01 바쁜 _____ _____ _____

02 용감한 _____ _____ _____

03 가르치다 _____ _____ _____

04 간호사 _____ _____ _____

05 역사 _____ _____ _____

06 환자 _____ _____ _____

2 다음 중 우리말과 같도록 빈칸에 들어갈 알맞은 말을 고르세요.

01

His job is to _____ fires.

그의 직업은 불을 끄는 것이다.

① get up ② take care of ③ put out
④ work at ⑤ put on

02

She _____ at a hospital.

그녀는 병원에서 일한다.

① walks ② eats ③ sleeps ④ works ⑤ plays

3 다음 영어와 우리말을 연결하세요.

01 an Italian restaurant •

• ⓐ 환자를 돌보다

02 teach history •

• ⓑ 이탈리아 식당

03 take care of patients •

• ⓒ 역사를 가르치다

4 다음 괄호 안에서 알맞은 것을 고르세요.

01 My brother is in the room. (We / He / They) is reading a book.

02 My friends are in the gym. (We / She / They) are playing basketball.

03 Tom and I are hungry. (You / It / We) want some food.

04 My mom is a teacher. (She / We / They) teaches English.

5 다음 영어를 우리말로 쓰세요.

01 He teaches history at a high school.

→ _____

02 She takes care of patients.

→ _____

1 다음 보기에서 의미와 일치하는 단어를 고르고 세 번 쓰세요.

rescue	building	danger	special	clothes	important

01 옷, 의류　_____　_____　_____

02 건물　_____　_____　_____

03 구하다　_____　_____　_____

04 중요한　_____　_____　_____

05 위험　_____　_____　_____

06 특별한　_____　_____　_____

2 다음 중 우리말과 같도록 빈칸에 들어갈 알맞은 말을 고르세요.

01

We can see fire engines at a _____ .

우리는 소방서에서 소방차들을 볼 수 있다.

① station　② museum　③ fire station　④ library　⑤ hospital

02

The special clothes _____ them from the heat of a fire.

그 특별한 옷들은 불의 열기로부터 그들을 보호한다.

① put　② see　③ drive　④ protect　⑤ play

3 다음 영어와 우리말을 연결하세요.

01 pump water   •

     • ⓐ 물을 내뿜다

02 put out fires   •

     • ⓑ 중요한 역할을 하다

03 play an important role •

     • ⓒ 불을 끄다

4 다음 괄호 안에서 알맞은 것을 고르세요.

01 Kevin is my brother. I love (her / him / them).

02 Tom and Cathy are my friends. I love (it / her / him / them).

03 Mr. Brown is a history teacher. We like (her / him / them).

04 The movie is interesting. I want to watch (her / it / them) again.

5 다음 영어를 우리말로 쓰세요.

01 Firefighters wear special clothes.

→ _____

02 They play an important role in our life.

→ _____

1 다음 보기에서 의미와 일치하는 단어를 고르고 세 번 쓰세요.

job	summer	lawn	save	eye	easy

01 쉬운 _____ _____ _____

02 일 _____ _____ _____

03 여름 _____ _____ _____

04 눈 _____ _____ _____

05 잔디 _____ _____ _____

06 모으다, 저축하다 _____ _____ _____

2 다음 중 우리말과 같도록 빈칸에 들어갈 알맞은 말을 고르세요.

01

I mow _____ neighbor's lawn.
나는 나의 이웃의 잔디를 깎는다.

① his   ② my   ③ your   ④ her   ⑤ our

02

My neighbor pays me for my _____ work.
나의 이웃은 나의 힘든 일에 비용을 지불한다.

① easy   ② hard   ③ part   ④ early   ⑤ safe

3 다음 영어와 우리말을 연결하세요.

01 mow the lawn　•

•　ⓐ 돈을 모으다

02 safety gear　•

•　ⓑ 잔디를 깎다

03 save money　•

•　ⓒ 안전 장비

4 다음 우리말과 같도록 괄호 안에서 알맞은 것을 고르세요.

01 My brother has a cat. (It / His / Their) cat is very smart.
내 남동생은 고양이가 있다. 그의 고양이는 매우 영리하다.

02 Did you see (my / me / you) glasses. I can't find them anywhere.
너는 나의 안경을 봤니? 어디에서도 그것을 찾을 수가 없다.

03 Cathy is from Canada. She loves (its / his / her) country.
캐시는 캐나다에서 왔다. 그녀는 그녀의 나라를 사랑한다.

04 This is not my bag. This is (your / his / her) bag.
이것은 나의 가방이 아니다. 이것은 그의 가방이다.

5 다음 영어를 우리말로 쓰세요.

01 I'm saving money to buy a new computer.

→ _____

02 Mowing the lawn is not easy, but I like it.

→ _____

1 다음 보기에서 의미와 일치하는 단어를 고르고 세 번 쓰세요.

> soldier   banker   slim   attend   grade   eleven

01 은행원 _____ _____ _____

02 군인 _____ _____ _____

03 11 _____ _____ _____

04 다니다 _____ _____ _____

05 날씬한 _____ _____ _____

06 학년, 등급 _____ _____ _____

2 다음 중 우리말과 같도록 빈칸에 들어갈 알맞은 말을 고르세요.

01

I love my family _____.
나는 나의 가족을 매우 많이 사랑한다.

① so many   ② much   ③ very much   ④ many   ⑤ so

02

She is 17 years _____.
그녀는 17살이다.

① old   ② grade   ③ tall   ④ strong   ⑤ all

3 다음 영어와 우리말을 연결하세요.

01 an elementary school •

• ⓐ 키가 크고 강한

02 the 4th grade •

• ⓑ 초등학교

03 tall and strong •

• ⓒ 4학년

4 다음 괄호 안에서 알맞은 것을 고르세요.

01 There (is / are) spoons on the table.

02 There is (a ball / balls) in the box.

03 There (is / are) 5 boys in the classroom.

04 There are some (book / books) in the bag.

5 다음 영어를 우리말로 쓰세요.

01 My sister attends high school.

→ _____

02 My mother is small and slim.

→ _____

1 다음 보기에서 의미와 일치하는 단어를 고르고 세 번 쓰세요.

> baseball   share   parents   homework   sometimes   handsome

01 잘생긴 _____ _____ _____

02 숙제 _____ _____ _____

03 부모 _____ _____ _____

04 공유하다 _____ _____ _____

05 때때로 _____ _____ _____

06 야구 _____ _____ _____

2 다음 중 우리말과 같도록 빈칸에 들어갈 알맞은 말을 고르세요.

01

He is _____ at baseball.

그는 야구를 잘한다.

① slim   ② happy   ③ well   ④ good   ⑤ bad

02

We share the _____ bed.

우리는 같은 침대를 사용한다.

① old   ② same   ③ good   ④ big   ⑤ different

3 다음 영어와 우리말을 연결하세요.

01 my older brother   •   • ⓐ 키가 크고 잘생긴

02 go out   •   • ⓑ 외출하다

03 tall and handsome   •   • ⓒ 나의 형

4 다음 빈칸에 알맞은 서수나 기수를 쓰세요.

	숫자	기수	서수
01	1	one	
02	3		third
03	6	six	
04	9		

5 다음 영어를 우리말로 쓰세요.

01 We go to the same elementary school.

→ _____

02 My older brother helps me with my homework.

→ _____

1 다음 보기에서 의미와 일치하는 단어를 고르고 세 번 쓰세요.

| healthy | thin | glasses | hobby | funny | tell |

01 취미 _____ _____ _____

02 마른 _____ _____ _____

03 건강한 _____ _____ _____

04 안경 _____ _____ _____

05 재미있는 _____ _____ _____

06 말하다 _____ _____ _____

2 다음 중 우리말과 같도록 빈칸에 들어갈 알맞은 말을 고르세요.

01

I live _____ my grandmother.

나는 할머니와 같이 산다.

① under ② with ③ in ④ to ⑤ on

02

She always gets up _____ in the morning.

그녀는 언제나 아침 일찍 일어난다.

① so ② same ③ early ④ much ⑤ late

3 다음 영어와 우리말을 연결하세요.

01 wear glasses •   • ⓐ 안경을 쓰다

02 funny stories •   • ⓑ 저녁식사를 만들다

03 make dinner •   • ⓒ 재미있는 이야기들

4 다음 괄호 안에서 알맞은 것을 고르세요.

01 We (go / goes) to the park every day.

02 He (play / plays) soccer after school.

03 I (have / has) a new computer.

04 Sam (listen / listens) to music on the radio.

5 다음 영어를 우리말로 쓰세요.

01 She wears glasses when she reads books.

→ _____

02 Her hobbies are gardening and birdwatching.

→ _____

1 다음 보기에서 의미와 일치하는 단어를 고르고 세 번 쓰세요.

visit   shark   aquarium   woman   feed   tunnel

01 여성 _____ _____ _____

02 방문하다 _____ _____ _____

03 먹이를 주다 _____ _____ _____

04 아쿠아리움 _____ _____ _____

05 터널 _____ _____ _____

06 상어 _____ _____ _____

2 다음 중 우리말과 같도록 빈칸에 들어갈 알맞은 말을 고르세요.

01

We can see _____ animals in the aquarium.
우리는 아쿠아리움에서 바다 동물들을 볼 수 있다.

① wild   ② big   ③ tree   ④ sea   ⑤ shark

02

_____ is a underwater tunnel in the aquarium.
아쿠아리움에는 수중 터널이 있다.

① They   ② This   ③ There   ④ It   ⑤ That

3 다음 영어와 우리말을 연결하세요.

01 run away   •   • ⓐ 펭귄에게 먹이를 주다

02 feed penguins •   • ⓑ 도망가다

03 touch the shark •   • ⓒ 상어를 만지다

4 다음 보기에서 빈칸에 알맞은 말을 골라 진행형으로 쓰세요.

| study   sing   eat |

01 We are _____ math now.

02 She is _____ a song in her room.

03 They are _____ rice noodles for lunch.

5 다음 영어를 우리말로 쓰세요.

01 We can also see penguins in the aquarium.

→ _____

02 There are small sharks in the tank.

→ _____

1 다음 보기에서 의미와 일치하는 단어를 고르고 세 번 쓰세요.

| bakery   library   borrow   gas station   medicine   watch |

01 빌리다 _____ _____ _____

02 제과점 _____ _____ _____

03 도서관 _____ _____ _____

04 구경하다, 보다 _____ _____ _____

05 주유소 _____ _____ _____

06 약 _____ _____ _____

2 다음 중 우리말과 같도록 빈칸에 들어갈 알맞은 말을 고르세요.

01

We can _____ fresh bread at the bakery.

우리는 제과점에서 갓 만든 빵을 살 수 있다.

① borrow   ② watch   ③ read   ④ sell   ⑤ buy

02

There is a _____ in my town.

나의 동네에 약국이 있다.

① gym   ② drugstore   ③ library   ④ museum   ⑤ bus stop

3 다음 영어와 우리말을 연결하세요.

01 borrow books   •

02 fill up our cars   •

03 watch a baseball game •

• ⓐ 야구 경기를 보다

• ⓑ 차에 기름을 채우다

• ⓒ 책을 빌리다

4 다음 우리말과 같도록 괄호 안에서 알맞은 것을 고르세요.

01 We (can / can't) speak Korean.
우리는 한국어를 할 수 있다.

02 They (can / can't) jump high.
그들은 높이 점프할 수 없다.

03 The dog can (run / runs) fast.
그 개는 빨리 달릴 수 있다.

04 We can't (play / plays) baseball today.
우리는 오늘 야구를 할 수 없다.

5 다음 영어를 우리말로 쓰세요.

01 We can get medicine at the drugstore.

→ _____

02 My town is small, but I love to live here.

→ _____

1 다음 보기에서 의미와 일치하는 단어를 고르고 세 번 쓰세요.

> president   big   bathroom   tourist   capital   call

01 부르다 _____ _____ _____

02 수도 _____ _____ _____

03 커다란 _____ _____ _____

04 화장실 _____ _____ _____

05 관광객 _____ _____ _____

06 대통령 _____ _____ _____

2 다음 중 우리말과 같도록 빈칸에 들어갈 알맞은 말을 고르세요.

01

The president of the United States _____ in the White House.

미국의 대통령은 백악관에서 산다.

① works   ② lives   ③ calls   ④ has   ⑤ visits

02

A lot of tourists visit the White House _____.

많은 관광객들이 매일 백악관을 방문한다.

① one day   ② every year   ③ every day
④ tomorrow   ⑤ today

3 다음 영어와 우리말을 연결하세요.

01 the United States ●   ● ⓐ 그것을 백악관이라고 부르다

02 the most visited landmarks ●   ● ⓑ 미국

03 call it the White House ●   ● ⓒ 가장 많이 방문하는 명소들

4 다음 괄호 안에서 알맞은 것을 고르세요.

01 Look at (a / an / the) moon.

02 I have a computer. (A / An / The) computer is old.

03 I have (a / an / the) dog. (A / An / The) dog is black.

04 She has some apples. (A / An / The) apples are fresh.

5 다음 영어를 우리말로 쓰세요.

01 Washington D.C is the capital of the United States.

→ _____

02 The White House is painted white.

→ _____

Memo

Memo

Memo

WORKBOOK

Inkbooks
www.inkbooks.co.kr
구매문의 02) 455 9620

Longman

Reading

Mentor

joy

START

1

ANSWERS

 Pearson

Reading Mentor joy START 1

ANSWERS

Chapter 1 동물

UNIT 1 농장에 사는 동물들

There are many animals on the farm.
농장에는 많은 동물들이 있어요.

The pig sleeps with his friends.
돼지는 친구들과 함께 자요.

The cows eat grass.
소들은 풀을 먹어요.

The cows are hungry.
소들은 배가 고파요.

The hen lays eggs.
암탉은 알을 낳아요.

The hen can't fly.
암탉은 날 수 없어요.

The ducks swim in the pond.
오리들은 연못에서 수영해요.

The ducks like swimming.
오리들은 수영을 좋아해요.

The dog runs after the cat.
개는 고양이를 뒤쫓아요.

The dog has a short tail.
개는 꼬리가 짧아요.

I like all the animals on the farm.
나는 농장에 있는 모든 동물들을 좋아해요.

They are my best friends.
그들은 나의 가장 친한 친구들이에요.

READING CHECK

1 (1) F (2) F (3) T   2 ④   3 ⑤
4 all the animals on the farm
해석 및 해설
1 (1) 돼지는 부모님들과 잔다.
  (2) 개는 돼지를 뒤쫓는다.
  (3) 오리들은 연못에 있다.

WORD CHECK

1 grass, egg   2 (1) B (2) C (3) A (4) D
3 (1) short (2) pond (3) hungry

GRAMMAR TIME

1 (1) animals / zoo (2) tiger (3) Jane / Seoul
2 (1) Cathy, teacher
  (2) Seoul, library, classroom, Korea, school
  (3) cat, tiger, bus, computer
해석 및 해설
1 (1) 동물원에는 많은 동물들이 있다.
  (2) 그 호랑이는 매우 배가 고프다.
  (3) 제인은 서울에 산다.

UNIT 2 전 세계 동물들

Penguins live in Antarctica.
펭귄들은 남극에 살아요.

They swim very well.
그들은 수영을 매우 잘해요.

They are birds, but they can't fly.
그들은 새지만 날 수 없어요.

Kangaroos live in Australia.
캥거루들은 호주에 살아요.

They can jump high.
그들은 높이 뛰어오를 수 있어요.

They have strong back legs.
그들은 강한 뒷다리가 있어요.

Tigers live in Asia.
호랑이들은 아시아에 살아요.

They are very strong.
그들은 매우 강해요.

They have sharp teeth.
그들은 날카로운 이빨들을 가지고 있어요.

Giraffes live in Africa.
기린들은 아프리카에 살아요.

They have long necks.
그들은 긴 목을 가지고 있어요.

They can run fast.
그들은 빨리 달릴 수 있어요.

There are a lot of animals on the Earth.
지구에는 많은 동물들이 있어요.

What animals live in your country?
여러분 나라에는 어떤 동물들이 살고 있나요?

1 ①   2 (1) T (2) F (3) T   3 ③   4 Kangaroos

해석 및 해설

2 (1) 펭귄들은 새지만 날 수 없다.

(2) 캥거루들은 날카로운 이빨들을 가지고 있다.

(3) 기린들은 긴 목을 가지고 있다.

4 A: 어떤 동물이 강한 뒷다리를 가지고 있니?

WORD CHECK

1 ④   2 (1) C (2) A (3) D (4) B

3 (1) but (2) strong (3) necks

GRAMMAR TIME

1 (1) runs (2) eat (3) go (4) listen (5) like

2 The students study in the library.

해석 및 해설

1 (1) 그 개는 빨리 달린다.

(2) 나는 식당에서 점심식사를 한다.

(3) 우리는 여름에 해변에 간다.

(4) 그 소녀들은 라디오를 듣는다.

(5) 나는 사과를 좋아한다.

2 그 학생들은 도서관에서 공부한다.

UNIT 3 바다에서

The dolphins play in the sea.
돌고래들이 바다에서 놀아요.

They swim very fast.
그들은 매우 빨리 수영해요.

Three crabs are in the sea.
세 마리 게들이 바다에 있어요.

The crabs eat seaweed.
그 게들은 해초를 먹어요.

They like to eat seaweed.
그들은 해초 먹는 것을 좋아해요.

The octopus is on the rock.
문어는 바위 위에 있어요.

The octopus has 8 arms.
문어는 팔이 8개예요.

The octopus crawls into a dark cave.
문어는 어두운 동굴 안으로 기어가요.

The starfish is at the bottom of the sea.
불가사리는 바다 밑바닥에 있어요.

What does the starfish look like?
불가사리는 무엇처럼 생겼나요?

The starfish looks like a star.
불가사리는 별처럼 생겼어요.

READING CHECK

1 ④   2 (1) B (2) A (3) C

3 (1) swim (2) seaweed (3) fast   4 8 arms

해석 및 해설

3 (1) 돌고래들은 바다에서 수영한다.

(2) 게들은 해초 먹는 것을 좋아한다.

(3) 돌고래들은 매우 빠르게 수영한다.

4 A: 문어는 팔이 몇 개니?

WORD CHECK

1 cow, apple   2 (1) A (2) D (3) C (4) B

3 (1) sea (2) seaweed (3) bottom

GRAMMAR TIME

1 (1) in (2) on (3) under   2 (1) in (2) under (3) on

해석 및 해설

1 (1) 치즈 안에 쥐

(2) 치즈 위에 쥐

(3) 치즈 아래에 쥐

REVIEW TEST

01 ②   02 ④   03 ④   04 ①   05 ③   6 ④   07 ④

08 ②   09 ②   10 in the pond   11 ②   12 ④   13 ⑤

14 (1) 호랑이들은 날카로운 이빨들이 있다. (2) 불가사리는 별처럼 생겼다. (3) 문어는 8개의 팔들이 있다.

15 cannot / can't

해석 및 해설

01 *school(학교)은 장소를 나타내고 나머지는 모두 동물을 나타냅니다.

02 *have, eat은 동사고 fast는 형용사나 부사로 모두 쓰이고 hungry는 형용사입니다.

03 그 개는 고양이를 뒤쫓는다.

04 그 개는 짧은 꼬리를 가지고 있다.

07 불가사리는 바다 밑바닥에 있다.

08 캥거루들은 호주에 산다. 그들은 높이 뛰어오를 수 있다.

[10-11]

　농장에는 많은 동물들이 있다.

　돼지는 친구들과 함께 잔다.

　소들은 풀을 먹는다.

　소들은 배가 고프다.

　오리들은 연못에서 수영한다.

　그들은 수영을 좋아한다.

　나는 농장에 있는 모든 동물들을 좋아한다.

　그들은 나의 가장 친한 친구들이다.

10 A: 오리들은 어디에 있나요?

11 ① 나의 친구들

　② 연못 안의 오리들

　③ 농장의 모든 동물들

　④ 농장의 소들

　⑤ 농장의 돼지들

15 펭귄은 새지만 그들은 날 수 없다.

WORD MASTER

01 동물	02 바닥, 밑	03 동굴
04 게	05 기어가다	06 돌고래
07 오리	08 농장	09 기린
10 캥거루	11 문어	12 펭귄
13 연못	14 해초	15 불가사리

Chapter 2 친구

UNIT 1 새로운 반 친구

A new school year begins.
새로운 학년이 시작해요.

I want to make new friends.
나는 새로운 친구들을 만들고 싶어요.

I meet Jessie and Jim.
나는 제시와 짐을 만나요.

They are my new classmates.
그들은 나의 새로운 반 친구예요.

Jessie has long hair and she wears glasses. 제시는 머리가 길고 안경을 써요.

Jim is tall and has short hair.
짐은 키가 크고 머리가 짧아요.

I introduce myself to them.
나는 그들에게 내 소개를 해요.

I invite them to sit with me at lunch.
나는 그들에게 점심시간에 같이 앉자고 초대해요.

We eat lunch together.
우리는 함께 점심식사를 해요.

I want to be friends with them.
나는 그들과 친구가 되기를 원해요.

READING CHECK

1 ⑤　　2 ⑤　　3 ①　　4 Jessie and Jim

해석 및 해설
2 *그들은 함께 점심식사를 했다.

WORD CHECK

1 (1) B (2) C (3) D (4) A　　2 ②
3 (1) classmates (2) together (3) them

해석 및 해설
2 새로운 학년이 시작한다.

1 (1) am (2) is (3) are (4) are   2 The boys

해석 및 해설
1 (1) 나는 의사다.
  (2) 톰은 교실에 있다.
  (3) 그들은 나의 친구들이다.
  (4) 그 개들은 매우 빠르다.
2 그 소년들은 지금 배가 고프다.
  *be동사 are가 있으므로 복수명사 주어가 와야 합니다.

UNIT 2 우리는 좋은 친구들이다

I'm going to talk about my friend Michelle.
나는 내 친구 미쉘에 대해 얘기할게요.

Michelle lives next door.
미쉘은 옆집에 살아요.

She is my best friend.
그녀는 나의 가장 친구예요.

We go to the same school.
우리는 같은 학교에 다녀요.

We often play together.
우리는 자주 함께 놀아요.

We are different.
우리는 달라요.

My hobby is reading books, but Michelle likes watching cartoons. 나의 취미는 독서지만 미쉘은 만화영화 보는 것을 좋아해요.

I like vegetables, but she doesn't like them. 나는 야채를 좋아하지만 그녀는 그것들을 좋아하지 않아요.

These differences are not a big problem to us. 이러한 차이들은 우리에게 큰 문제가 아니에요.

We are still good friends.
우리는 여전히 좋은 친구예요.

READING CHECK

1 ②   2 ③   3 ①   4 vegetables

해석 및 해설
2 *나의 취미가 독서다.

WORD CHECK

1 (1) B (2) A (3) D (4) C   2 ①
3 (1) hobby (2) same (3) next door

GRAMMAR TIME

1 (1) are going to (2) play (3) are (4) are not (5) is not
2 are going to play

해석 및 해설
1 (1) 그들은 내일 일찍 일어날 것이다.
  (2) 나는 방과 후 피아노를 연주할 것이다.
  (3) 그들은 내일 집에 머물 것이다.
  (4) 내 친구들은 박물관을 방문하지 않을 것이다.
  (5) 수잔은 점심식사를 하지 않을 것이다.

UNIT 3 나의 가장 친한 친구

Tom and Cathy are my best friends.
톰과 캐시는 나의 가장 친한 친구들이에요.

I spend time with them after school.
나는 방과 후에 그들과 시간을 보내요.

I sometimes play baseball with them.
나는 때때로 그들과 야구를 해요.

We also study together.
우리는 함께 공부도 해요.

We help each other with schoolwork.
우리는 학교 공부를 서로 도와요.

In summer, we go to the swimming pool together. 여름에 우리는 함께 수영장에 가요.

In winter, we go skating together.
겨울에 우리는 함께 스케이트를 타러 가요.

I invite Tom and Cathy to my birthday party. 나는 톰과 캐시를 나의 생일파티에 초대해요.

We eat cake and play at my birthday party. 우리는 나의 생일파티에서 케이크를 먹고 놀아요.

I hope our friendship lasts for a long time.
나는 오랫동안 우리의 우정이 유지되기를 바라요.

READING CHECK

1 ⑤   2 ②   3 (1) T (2) F (3) F   4 Yes, I do.

해석 및 해설
3 (1) 캐시는 내 학교 공부를 돕는다.
  (2) 톰과 캐시는 방과 후에 농구를 한다.
  (3) 여름에 톰과 캐시는 바다에서 수영한다.
4 A: 너는 톰과 캐시를 너의 생일에 초대하니?

WORD CHECK

1 (1) A (2) C (3) D (4) B   2 ⑤
3 (1) after school (2) invite (3) best

GRAMMAR TIME

1 (1) skating (2) go shopping (3) go fishing
  (4) go swimming

해석 및 해설
1 (1) 우리는 스케이트 타러 가고 싶다.
  (2) 그녀는 오늘 쇼핑하러 갈 것이다.
  (3) 나는 낚시하러 가고 싶다.
  (4) 그녀는 내일 수영하러 갈 것이다.

REVIEW TEST

01 ③   02 ③   03 ⑤   04 ③   05 ③   06 different
07 ①   08 ②   09 ③   10 ②   11 ④   12 is
13 (1) 캐시는 키가 크고 머리가 길다. (2) 나는 내일 그녀를 방
문할 것이다.   14 shopping   15 together

해석 및 해설
01 ① 그녀는 나의 여동생이다.
  ② 톰은 학생이다.
  ③ 그 소년들은 내 친구들이다.
  ④ 그는 의사다.
  ⑤ 그 개는 매우 빠르다.
  *주어가 복수이면 be동사는 are가 들어갑니다.
[05-06]
  미쉘은 옆집에 산다.
  그녀는 나의 가장 친한 친구다. 우리는 같은 학교에 다닌다.
  우리는 자주 함께 논다. 우리는 다르다.
  나의 취미는 독서지만 미쉘은 만화영화 보는 것을 좋아한다.
  나는 야채를 좋아하지만 그녀는 그것들을 좋아하지 않는다.
  이러한 차이들은 우리에게 큰 문제가 아니다.
  우리는 여전히 좋은 친구다.

05 ① 미쉘과 나는 같은 학교에 다닌다.
  ② 미쉘은 야채를 좋아하지 않는다.
  ③ 미쉘과 나는 함께 산다.
  ④ 미쉘과 나는 좋은 친구다.
  ⑤ 내 취미는 미쉘의 취미와 다르다.
07 나의 누나는 짧은 머리에 안경을 쓴다.
08 내일은 내 생일이다.
  나는 내 생일파티에 내 친구들을 초대할 것이다.
09 나는 톰과 제인과 같은 반에서 공부한다.
  그들은 나의 같은 반 친구다.
10 나는 자주 그녀와 시간을 보낸다.
  그들은 옷을 사는 데 많은 돈을 쓴다.
11 ① 나는 그를 방문하지 않을 것이다.
  ② 제인과 나는 자주 쇼핑하러 간다.
  ③ 그들은 나의 사촌들이다.
  ⑤ 나는 오늘 그녀를 만나지 않을 것이다.
12 그 코끼리는 호수에 있다.

WORD MASTER

01 야구   02 시작하다   03 생일
04 만화, 만화영화 05 반 친구   06 다른
07 우정   08 취미   09 소개하다
10 초대하다   11 나 자신   12 문제
13 같은   14 때때로   15 함께

Chapter 3 취미

UNIT 1 내가 가장 좋아하는 취미

Tara likes reading books.
타라는 책 읽는 것을 좋아해요.

She is happy when she reads a story with a happy ending.
그녀는 행복한 결말이 있는 이야기를 읽을 때 행복해요.

She reads for 2 hours every day.
그녀는 매일 2시간 동안 책을 읽어요.

She usually reads books after dinner.
그녀는 보통 저녁식사 후에 책을 읽어요.

Her favorite author is J.K. Rowling.
그녀가 가장 좋아하는 작가는 제이 케이 롤링이에요.

She is the author of "Harry Potter."
그녀는 "해리포터"의 작가예요.

There are a lot of advantages of reading every day. 매일 책을 읽는 것은 많은 장점들이 있어요.

Reading helps to increase Tara's vocabulary.
독서는 타라의 어휘를 늘리는 데 도움을 줘요.

It also helps to improve her writing skills.
그것은 또한 그녀의 글쓰기 능력 향상에도 도움을 줘요.

Reading makes her feel relaxed and calm. 독서는 그녀를 편안하고 침착하게 만들어요.

READING CHECK

1 ⑤   2 ③   3 ②   4 ④

해석 및 해설
3 *복수명사 advantages가 왔으므로 many가 올 수 있습니다.
4 독서는 그녀의 어휘도 늘리는 데 도움을 준다.

WORD CHECK

1 (1) D (2) A (3) C (4) B   2 ④
3 (1) every day (2) favorite (3) relaxed

해석 및 해설
2 *usually는 일반동사 앞에 위치합니다.

GRAMMAR TIME

1 (1) a (2) a (3) an (4) x (5) an (6) x

해석 및 해설
1 (1) 김 씨는 자동차를 가지고 있다.
(2) 너는 컴퓨터를 가지고 있니?
(3) 이것은 문어다.
(4) 우리는 한국에서 살고 싶다.
(5) 그들은 이글루에서 산다.
(6) 나는 수잔을 좋아한다.

UNIT 2 수영

Kevin is in the swimming pool now.
캐빈은 지금 수영장에 있어요.

He likes swimming.
그는 수영하는 것을 좋아해요.

He goes swimming 3 days a week.
그는 일주일에 3일을 수영하러 가요.

He swims very well.
그는 수영을 무척 잘해요.

He swims very fast.
그는 무척 빠르게 수영해요.

SPLASH!
첨벙!

He dives from the high board.
그가 하이 보드에서 다이빙을 해요.

His swimming cap comes off.
그의 수영 모자가 벗겨져요.

His swimming suit comes off, too.
그의 수영복도 벗겨져요.

He feels embarrassed.
그가 당황해요.

READING CHECK

1 ⑤   2 ②   3 ③   4 3 days a week

해석 및 해설
2 왜 캐빈은 당황했나요?
① 그가 수영복을 잃어버렸다.
② 그의 수영복이 벗겨졌다.
③ 그가 얼음 위에서 넘어졌다.

④ 그가 수영을 할 수 없다.

⑤ 그의 수영복이 너무 크다.

4 A: 캐빈은 얼마나 자주 수영하러 가니?

WORD CHECK

1 (1) C (2) D (3) B (4) A   2 ③

3 (1) week (2) very (3) comes off

GRAMMAR TIME

1 (1) well (2) carefully (3) loudly (4) early

2 slowly

해석 및 해설

1 (1) 그는 수영을 매우 잘한다.

(2) 그는 조심스럽게 운전한다.

(3) 그들은 큰 소리로 얘기하고 있다.

(4) 우리는 아침 일찍 일어난다.

UNIT ③ 음악 듣기

My older sister, Alice, is a high school student.
나의 누나, 앨리스는 고등학교 학생이에요.

She listens to music when she's free.
그녀는 한가할 때 음악을 들어요.

She likes listening to K-pop music.
그녀는 케이팝 음악 듣는 것을 좋아해요.

Sometimes she dances while listening to music. 때로는 음악을 들으면서 춤을 춰요.

But she isn't a good dancer.
하지만 그녀는 훌륭한 댄서는 아니에요.

She listens to music until late at night.
그녀는 밤에 늦게까지 음악을 들어요.

She always plays the music loudly.
그녀는 항상 음악을 크게 틀어요.

Please turn down the volume!
제발 볼륨을 줄여줘!

I need to get some sleep!
나는 잠을 좀 자야 해!

READING CHECK

1 ②   2 ③   3 She likes K-pop music.   4 ⑤

해석 및 해설

3 너의 누나는 어떤 종류의 음악을 좋아하니?

4 ① 앨리스는 케이팝 음악을 좋아한다.

② 앨리스는 밤에 늦게까지 춤춘다.

③ 앨리스는 밤에 늦게까지 책을 읽는다.

④ 앨리스는 음악을 들으면서 춤춘다.

⑤ 앨리스는 언제나 음악을 크게 튼다.

WORD CHECK

1 (1) B (2) A (3) D (4) C   2 (1) B (2) C (3) A

3 (1) student (2) listening (3) always

GRAMMAR TIME

1 (1) always (2) Sometimes (3) often
(4) sometime (4) sometimes

REVIEW TEST

01 ②   02 ③   03 ④   04 ④   05 ②   06 ③   07 ⑤
08 ②   09 ⑤   10 ④   11 ④

12 (1) 그녀는 밤에 늦게까지 음악을 듣는다.

(2) 그녀는 보통 저녁식사 후 책을 읽는다.

13 often go to the museum

14 (1) until (2) a lot of (3) listens   15 a

해석 및 해설

01 케빈은 수영을 잘한다.

*swims를 수식하는 부사가 와야 합니다.

02 나는 자주 도서관에 간다.

*빈칸에는 빈도부사가 와야 합니다.

03 우리는 한국에 산다. / 나는 오렌지가 하나 있다.

04 그는 언제나 주의 깊게 운전한다.

*very는 부사 앞에 위치합니다.

05 그는 하이 보드에서 다이빙한다.

06 그녀는 (빈도부사) 저녁식사 후에 책을 읽는다.

*일반동사 앞에는 빈도부사가 올 수 있습니다.

08 앨리스는 노래를 매우 잘한다. 그녀는 훌륭한 가수다.

[09-10]

나의 누나, 앨리스는 고등학교 학생이다.

그녀의 취미는 음악을 듣는 것이다.

그녀는 케이팝 음악 듣는 것을 좋아한다.

때로는 음악을 들으면서 춤을 춘다.
하지만 그녀는 훌륭한 댄서는 아니다.
그녀는 밤에 늦게까지 음악을 듣는다.
그녀는 항상 음악을 크게 튼다.
제발 볼륨을 줄여주세요!
나는 잠을 좀 자야 한다!

10 ① 그녀는 지금 어떤 종류의 음악을 듣고 있니?
② 그녀는 지금 무엇을 하고 있니?
③ 그녀는 음악 듣는 것을 좋아하니?
④ 그녀는 어떤 종류의 음악을 좋아하니?
⑤ 그녀는 케이팝 음악을 듣고 있니?

11 ① 그는 수영을 매우 잘한다.
② 그는 주의 깊게 운전한다.
③ 그들은 큰 소리로 말하고 있다.
④ 그 개는 매우 빠르다.
⑤ 그는 아침에 늦게 일어난다.
*fast는 형용사고 나머지는 부사입니다.

14 (1) 그 가게는 매일 자정까지 운영한다.
(2) 도서관에는 많은 책이 있다.
(3) 그녀는 음악을 들을 때 행복하다.

WORD MASTER

01 장점	02 항상	03 작가
04 침착한	05 당황스러운	06 결말
07 가장 좋아하는	08 향상시키다	09 듣기
10 기술	11 수영하다	12 ~까지
13 주로, 보통	14 볼륨	15 일주일

Chapter 4 직업

UNIT 1 직업의 종류

My mom is a nurse.
나의 엄마는 간호사예요.

She works at a hospital.
그녀는 병원에서 일해요.

She takes care of patients.
그녀는 환자들을 돌봐요.

My dad is a teacher.
나의 아빠는 선생님이에요.

He teaches history at a high school.
그는 고등학교에서 역사를 가르쳐요.

He's always busy.
그는 언제나 바빠요.

My uncle Peter is a firefighter.
나의 삼촌 피터는 소방관이에요.

His job is to put out fires.
그의 직업은 불을 끄는 거예요.

He's very brave.
그는 매우 용감해요.

My cousin Jessie works at an Italian restaurant.
나의 사촌 제시는 이탈리아 식당에서 일해요.

She's a chef. 그녀는 주방장이에요.

She makes spaghetti and pizza.
그녀는 스파게티와 피자를 만들어요.

She likes cooking.
그녀는 요리를 좋아해요.

READING CHECK

1 ②   2 ①   3 (1) school (2) restaurant   4 ①

해석 및 해설
4 내 사촌 제시는 이탈리아 식당에서 일한다.
그녀는 주방장이다. 그녀의 일은 음식을 만드는 것이다.

1 ⑤   2 (1) B (2) C (3) A (4) D
3 (1) patients (2) history (3) brave

GRAMMAR TIME

1 (1) They (2) We (3) He (4) It (5) They (6) He
해석 및 해설
1 (1) 그 소녀들은 수영장에 있다. / 그들은 수영을 매우 잘한다.
  (2) 나의 친구들과 나는 구내식당에 있다. / 우리는 매우 배가
      고프다.
  (3) 김 선생님은 영어 선생님이다. / 그는 매우 친절하다.
  (4) 그 쥐는 배가 고프다. / 그것은 치즈를 원한다.
  (5) 샘과 데이비드는 학생들이다. / 그들은 매우 영리하다.
  (6) 내 남동생은 책 읽기를 좋아한다. / 그는 매일 책을 읽는다.

UNIT 2 소방관들

There are firefighters in cities and towns.
도시와 마을에는 소방관들이 있어요.

They put out fires in buildings.
그들은 건물들 안에서 불을 꺼요.

They rescue people in danger.
그들은 위험에 처한 사람들을 구해요.

They drive fire engines.
그들은 소방차들을 운전해요.

The fire engines pump water.
그 소방차들은 물을 퍼부어요.

We can see firefighters and fire engines
at a fire station.
우리는 소방서에서 소방관들과 소방차들을 볼 수 있어요.

Firefighters wear special clothes.
소방관들은 특별한 옷을 입어요.

The special clothes protect them from
the heat of a fire.
그 특별한 옷들은 불의 열기로부터 그들을 보호해요.

They play an important role in our life.
그들은 우리 삶에서 중요한 역할을 해요.

READING CHECK

1 ④   2 ②   3 ⑤   4 fire station
해석 및 해설
2 소방차가 불을 뿜고 있다.
4 A: 어디에서 소방관들과 소방차들을 볼 수 있니?

WORD CHECK

1 (1) D (2) A (3) B (4) C   2 ②
3 (1) rescue (2) clothes (3) important
해석 및 해설
2 도시와 마을에는 소방관들이 있다.
  *put out은 '~을 끄다'라는 의미입니다.

GRAMMAR TIME

1 ②   2 (1) her (2) them
해석 및 해설
1 나의 엄마는 나에게 재미있는 이야기들을 말한다.
  나는 _____와 함께 시간을 보내는 것을 즐긴다.
2 (1) 샐리는 나의 누나다. 나는 그녀를 사랑한다.
  (2) 그 딸기들은 매우 달다. 나는 그것들을 매일 먹는다.

UNIT 3 나의 아르바이트

I have a part time job in summer.
나는 여름에 아르바이트가 있어요.

My job is to mow the lawn.
나의 일은 잔디를 깎는 일이에요.

I mow my neighbor's lawn.
나는 나의 이웃의 잔디를 깎아요.

I mow the lawn with a lawnmower.
나는 잔디 깎는 기계로 잔디를 깎아요.

I wear eye protection and other safety
gear. 나는 눈 보호대와 다른 안전 장비를 해요.

My neighbor pays me for my hard work.
나의 이웃은 나의 힘든 일에 비용을 지불해요.

I'm saving money to buy a new computer.
나는 새 컴퓨터를 사기 위해 돈을 모으고 있어요.

Mowing the lawn is not easy, but I like it.
잔디 깎는 일은 쉽지 않지만 나는 그것을 좋아해요.

READING CHECK

1 (1) F (2) T (3) F　2 ④　3 ③　4 mow

해석 및 해설

1 (1) 나는 가을에 이웃들의 잔디를 깎는다.

　(2) 나는 잔디 깎는 것을 좋아한다.

　(3) 나의 엄마는 나에게 나의 아르바이트에 대해 지불한다.

3 ① 돈 모으기

　② 눈 보호대 착용하기

　③ 잔디 깎기

　④ 새 컴퓨터 사기

　⑤ 숙제하기

4 나의 아르바이트는 잔디를 깎는 것이다.

WORD CHECK

1 (1) B (2) D (3) A (4) C　2 ①

3 (1) easy (2) pay me for (3) saving

GRAMMAR TIME

1 (1) His (2) my (3) her (4) his (5) your (6) her (7) their

REVIEW TEST

01 ③　02 ④　03 ④　04 ⑤　05 ①　06 ④　07 ②

08 ②　09 (1) T (2) F (3) T　10 ②　11 ④

12 (1) nurse (2) fire station (3) easy

13 firefighters　14 (1) 나는 이웃의 잔디를 깎는다.

(2) 케빈 선생님은 우리에게 영어를 가르친다.　15 him

해석 및 해설

01 나의 여동생은 13살이다. 그녀는 독서를 좋아한다.

　*여기서 My sister는 She로 받습니다.

02 내 친구들은 구내식당에 있다. 그들은 배가 고프다.

　*여기서 My friends는 They로 받습니다.

03 그는 한국에서 왔다. 그는 그의 나라를 사랑한다.

04 제인과 수잔은 내 친구들이다. 나는 그들을 좋아한다.

　제인과 나는 학생이다. 우리는 같은 학교에 다닌다.

05 소방관들은 특별한 옷을 입는다.

06 그녀는 간호사다. 그녀는 환자들을 돌본다.

07 내 일은 잔디를 깎는 것이다.

08 나는 여름에 아르바이트가 있다.

　그의 직업은 영어를 가르치는 것이다.

[09-10]

　나의 아빠는 선생님이다.

　그는 고등학교에서 역사를 가르친다.

그는 언제나 바쁘다.

나의 삼촌 피터는 소방관이다.

그의 직업은 불을 끄는 것이다.

그는 매우 용감하다.

나의 사촌 제시는 이탈리아 식당에서 일한다.

그녀는 주방장이다.

그녀는 스파게티와 피자를 만든다.

그녀는 요리하는 것을 좋아한다.

그녀는 자신의 일을 사랑한다.

09 (1) 나의 아빠는 고등학교 학생들에게 역사를 가르친다.

　(2) 나의 삼촌 피터는 언제나 바쁘다.

　(3) 제시는 자신의 일을 좋아한다.

11 ① 김 선생님은 나의 선생님이다. 나는 그를 좋아한다.

　② 제인과 수잔은 나의 친구들이다. 나는 그들을 좋아한다.

　③ 제시는 나의 사촌이다. 나는 그녀를 사랑한다.

　⑤ 그 소녀들은 방에 있다. 그들은 나의 친구들이다.

　*④ its → her

12 (1) 나의 엄마는 간호사다. 그녀는 병원에서 일한다.

　(2) 우리는 소방서에서 소방관과 소방차를 볼 수 있다.

　(3) 영어를 배우는 것은 쉽지 않지만 나는 그것을 좋아한다.

13 도시와 마을에는 소방관들이 있다.

　그들은 건물들 안에서 불을 끈다.

15 나는 형이 있다. 나는 그를 아주 많이 사랑한다.

WORD MASTER

01 용감한	02 건물	03 바쁜
04 주방장	05 옷	06 소방관
07 역사	08 병원	09 중요한
10 잔디	11 이웃	12 간호사
13 환자	14 보호하다	15 구하다

Chapter 5 가족

UNIT 1 나의 가족

There are 4 people in my family.
나의 가족은 네 명이에요.

They are my father, my mother, my sister, and me.
나의 아빠와 나의 엄마, 나의 누나 그리고 나예요.

My father is a soldier.
나의 아빠는 군인이에요.

He's tall and strong.
그는 키가 크고 강해요.

My mother is a banker.
나의 엄마는 은행원이에요.

She is short and slim.
그녀는 키가 작고 날씬해요.

My sister attends high school.
나의 누나는 고등학교에 다녀요.

She is 17 years old.
그녀는 17살이에요.

I'm an elementary school student.
나는 초등학교 학생이에요.

I'm 11 years old.
나는 11살이에요.

I'm in the 4th grade.
나는 4학년이에요.

I love my family very much.
나는 나의 가족을 아주 많이 사랑해요.

READING CHECK

1 (1) T (2) F (3) T   2 ③   3 ⑤   4 17(seventeen)

해석 및 해설
1 (1) 나의 아빠는 키가 크고 강하다.
  (2) 나의 엄마는 가정주부다.
  (3) 나의 누나는 고등학교에 다닌다.
4 A: 네 누나는 몇 살이니?

WORD CHECK

1 (1) A (2) D (3) B (4) C   2 ①

3 (1) slim (2) elementary (3) fourth

해석 및 해설
2 나의 가족은 4명이다. 아빠, 엄마, 내 여동생, 그리고 나다.

GRAMMAR TIME

1 (1) is (2) a dog (3) are (4) apples (5) students (6) is

해석 및 해설
1 (1) 책상 위에 책이 있다.
  (2) 식탁 아래 개가 있다.
  (3) 책상 위에 책들이 있다.
  (4) 식탁 위에 사과들이 조금 있다.
  (5) 교실에 학생들이 있다.
  (6) 유리잔에 물이 조금 있다.
*셀 수 없는 명사 water에는 is가 옵니다.

UNIT 2 나의 형

My older brother's name is Minsu.
나의 형의 이름은 민수예요.

He is 13 years old.
그는 13살이에요.

He is in the 6th grade.
그는 6학년이에요.

He likes reading books.
그는 책 읽는 것을 좋아해요.

He is good at baseball.
그는 야구를 잘해요.

We go to the same elementary school.
우리는 같은 초등학교에 다녀요.

We share the same bed.
우리는 침대를 같이 써요.

He takes care of me when our parents go out.   그는 부모님이 외출하면 나를 돌봐줘요.

Sometimes he helps me with my homework.
때로는 그가 나의 숙제를 도와줘요.

My brother is tall and handsome.
나의 형은 키가 크고 잘생겼어요.

I love him very much.
나는 그를 아주 많이 사랑해요.

1 ④　2 ④　3 ②　4 ④

해석 및 해설
4 네 형은 어떻게 생겼니?
　① 그는 나를 돌본다.
　② 그는 나의 숙제를 도와준다.
　③ 그는 초등학교에 다닌다.
　④ 그는 키가 크고 잘생겼다.
　⑤ 그는 책 읽는 것을 좋아한다.

WORD CHECK

1 (1) C　(2) A　(3) D　(4) B　　2 (1) A　(2) C　(3) B
3 (1) good　(2) go out　(3) grade

GRAMMAR TIME

1 (1) 1st(first)　(2) five

UNIT ③ 나의 할머니

I live with my grandmother.
나는 할머니와 같이 살아요.

She is 71 years old.
할머니는 71세예요.

She is very healthy.
할머니는 매우 건강하세요.

She is tall and thin.
할머니는 키가 크고 마르셨어요.

She wears glasses when she reads books.
할머니는 책을 읽을 때 안경을 쓰세요.

She always gets up early in the morning.
할머니는 언제나 아침 일찍 일어나세요.

Her hobbies are gardening and birdwatching.
할머니의 취미는 정원일과 새 관찰이에요.

Sometimes she makes me dinner.
때때로 저를 위해서 저녁식사를 만드세요.

She tells me funny stories.
할머니는 저에게 재미있는 이야기들을 해주세요.

I enjoy spending time with her.
나는 할머니와 함께 시간을 보내는 것을 즐겨요.

I love her very much.
나는 할머니를 아주 많이 사랑해요.

READING CHECK

1 ④　2 ⑤　3 ①　4 ④

해석 및 해설
1 *일찍 주무신다는 언급은 없고 일찍 일어나신다.

WORD CHECK

1 (1) C　(2) D　(3) A　(4) B　　2 ⑤
3 (1) wears　(2) seventy-one　(3) makes

해석 및 해설
2 그녀는 나에게 재미있는 이야기들을 한다.

GRAMMAR TIME

1 (1) goes　(2) play　(3) has　(4) listen
2 (1) go　(2) loves

해석 및 해설
1 (1) 사라는 매일 공원에 간다.
　(2) 그들은 방과 후에 축구를 한다.
　(3) 그는 새 컴퓨터를 가지고 있다.
　(4) 나는 라디오로 음악을 듣는다.

REVIEW TEST

01 ④　02 ③　03 ④　04 ③　05 ⑤　06 ②　07 ⑤
08 ③　09 (1) T　(2) T　(3) F　10 ⑤　11 ②
12 (1) grade　(2) strong　(3) baseball　　13 sixth
14 (1) 때때로 그녀는 내게 저녁을 만들어준다.
　(2) 그녀는 키가 크고 날씬하다.　　15 second(2nd)

해석 및 해설
01 *nine의 서수는 ninth입니다.
02 방에 개가 있다.
　*There is 다음에는 단수명사가 옵니다.
03 그녀는 매일 영어를 공부한다.
04 사라는 매주 일요일에 박물관에 간다.
　그는 새 자동차를 가지고 있다.
　*주어가 모두 3인칭 단수이므로, 동사도 3인칭 단수 현재형
　으로 써야 합니다.

05 나의 누나는 고등학교에 다닌다.

06 나는 나의 가족을 아주 많이 사랑한다.

07 그는 책을 읽을 때 안경을 쓴다.

08 우리는 같은 초등학교에 다닌다.

우리는 침대를 같이 쓴다.

[09-10]

나의 형은 13살이다.

그는 6학년이다.

그는 책 읽는 것을 좋아한다.

그는 야구를 잘한다.

나의 형과 나는 방을 같이 쓴다.

그는 부모님이 외출하면 나를 돌봐준다.

때로는 그가 나의 숙제를 도와준다.

나의 형은 키가 크고 잘생겼다.

09 (1) 나는 형과 방을 공유한다.

(2) 나의 형은 야구를 아주 잘한다.

(3) 나의 형은 언제나 나의 숙제를 도와준다.

11 ① 사라는 매일 걷는다.

③ 그녀는 새 컴퓨터가 있다.

④ 케빈은 라디오로 음악을 듣는다.

⑤ 그 소녀들은 버스를 타고 학교에 간다.

*they는 단수가 아니고 복수이므로 play가 되어야 합니다.

12 (1) 샘은 12살이고 그는 5학년이다.

(2) 그녀는 작지만 강하다.

(3) 내가 좋아하는 스포츠는 야구다.

13 나의 사무실은 6층에 있다.

*six의 서수형이 와야 합니다.

WORD MASTER

01 언제나
02 은행원
03 컴퓨터
04 즐기다
05 충분한
06 가족
07 재미있는
08 학년
09 건강한
10 숙제
11 부모
12 날씬한
13 군인
14 강한
15 마른

Chapter 6 장소

UNIT 1 아쿠아리움

Mike and I visit an aquarium.
마이크와 나는 아쿠아리움을 방문해요.

We can see fish and sea animals in the aquarium. 우리는 아쿠아리움에서 물고기와 바다 동물들을 볼 수 있어요.

There is a underwater tunnel in the aquarium. 아쿠아리움에는 수중 터널이 있어요.

We can see sharks in the underwater tunnel.
우리는 수중 터널 안에서 상어들을 볼 수 있어요.

We can also see penguins in the aquarium.
우리는 아쿠아리움에서 펭귄들도 볼 수 있어요.

A woman is feeding the penguins.
한 여성이 펭귄들한테 먹이를 주고 있어요.

We visit a touch tank.
우리는 터치 탱크를 방문해요.

There are small sharks in the tank.
탱크 안에는 작은 상어들이 있어요.

Mike tries to touch one of the sharks.
마이크가 상어들 중 하나를 만지려고 해요.

Oh, no. It runs away!
오, 이런. 그 상어가 도망가요!

READING CHECK

1 ⑤   2 ①   3 ④   4 small sharks

해석 및 해설

3 *소들은 아쿠아리움에서 볼 수 없습니다.

4 A: 터치 탱크에는 무엇이 있니?

WORD CHECK

1 (1) C (2) D (3) B (4) A   2 ④

3 (1) visit (2) feeding (3) can

해석 및 해설

2 ① 고래 ② 돌고래 ③ 상어 ④ 얼룩말 ⑤ 바다거북

1 (1) study / am studying (2) is working / works
  (3) are eating / eat (4) is playing / plays
  (5) takes / is taking

UNIT 2 나의 동네

There is a bakery in my town.
나의 동네에는 제과점이 있어요

We can buy fresh bread at the bakery.
우리는 제과점에서 갓 만든 빵을 살 수 있어요.

There is a library in my town.
나의 동네에는 도서관이 있어요.

We can borrow books at the library.
우리는 도서관에서 책을 빌릴 수 있어요.

There is a drugstore in my town.
나의 동네에는 약국이 있어요.

We can get medicine at the drugstore.
우리는 약국에서 약을 살 수 있어요.

There is a gas station in my town.
나의 동네에는 주유소가 있어요.

We can fill up our cars at the gas station.
우리는 주유소에서 우리 차에 기름을 가득 채울 수 있어요.

There is a baseball stadium in my town.
나의 동네에는 야구장이 있어요.

We can watch baseball games at the
baseball stadium.
우리는 야구장에서 야구 경기를 볼 수 있어요.

My town is small, but I love to live here.
나의 동네는 작지만 나는 여기서 사는 것이 무척 좋아요.

READING CHECK

1 ⑤   2 (1) F (2) F (3) T
3 (1) bread (2) cars (3) books   4 library
해석 및 해설
2 (1) 우리는 주유소에서 약을 살 수 있다.
  (2) 나의 동네에는 수영장이 있다.
  (3) 우리는 빵집에서 갓 만든 빵을 살 수 있다.
4 A: 나는 책을 어디서 빌릴 수 있니?

WORD CHECK

1 (1) A (2) C (3) B (4) D
2 ③   3 (1) borrow (2) gas station (3) watch
해석 및 해설
2 우리는 주유소에서 우리의 자동차에 기름을 채울 수 있다.

GRAMMAR TIME

1 (1) can (2) can't (3) speak (4) swim (5) can't
2 can speak English very well

UNIT 3 백악관

The White House is in Washington D.C.
백악관은 워싱턴 D.C.에 있어요.

Washington D.C. is the capital of the
United States. 워싱턴 D.C.는 미국의 수도예요.

The president of the United States lives
and works in the White House.
미국의 대통령은 백악관에서 살고 일해요.

The White House is painted white.
백악관은 하얀색으로 칠해 있어요.

So we call it the White House.
그래서 우리는 그것을 백악관이라고 불러요.

The White House is very big.
백악관은 매우 커요.

It has 35 bathrooms and 132 rooms.
백악관은 35개의 화장실과 132개의 방이 있어요.

It also has a swimming pool, a bowling
lane, and a library.
백악관은 또한 수영장, 볼링장과 도서관을 가지고 있어요.

A lot of tourists visit the White House
every day. 많은 관광객들이 매일 백악관을 방문해요.

The White House is one of the most
visited landmarks in the United States.
백악관은 미국의 가장 많이 방문하는 명소 중 하나예요.

READING CHECK

1 ⑤   2 ①   3 ③   4 132

해석 및 해설
4 A: 백악관에는 얼마나 많은 방이 있니?

WORD CHECK

1 (1) A (2) C (3) D (4) B   2 ④
3 (1) capital (2) call (3) president

GRAMMAR TIME

1 (1) The (2) The (3) a / The (4) The
2 ④

해석 및 해설
1 (1) 태양이 빛나고 있다.
  (2) 나는 개가 있다. 그 개는 사랑스럽다.
  (3) 나는 샌드위치가 있다. 그 샌드위치는 맛있다.
  (4) 그녀는 치즈가 조금 있다. 그 치즈는 맛이 좋다.

REVIEW TEST

01 ⑤   02 ⑤   03 ②   04 ④   05 ②   06 ①   07 ①
08 ②   09 ⑤   10 ②   11 ③   12 (1) watch
(2) capital (3) bathroom   13 can't / cannot
14 (1) 우리는 제과점에서 갓 만든 빵을 살 수 있다.
(2) 우리는 아쿠아리움에서 펭귄도 볼 수 있다.   15 baking

해석 및 해설
01 ① 우리는 쌀을 먹지 않는다.
   ② 나는 새 컴퓨터가 있다.
   ③ 그녀는 사과가 있다.
   ④ 우리는 부산에 산다.
   *[can/can't+동사원형] 형태입니다.
02 토니는 기타를 연주할 수 있다.
03 그들은 지금 피자를 먹고 있다.
05 우리는 아쿠아리움에서 물고기와 바다 동물을 볼 수 있다.
06 하늘은 파랗고 공기는 상쾌하다.
07 그는 개에게 먹이를 주고 있다.
08 마이크는 상어들 중 하나를 만지려고 한다.
   백악관은 미국에서 가장 많이 방문하는 랜드마크 중 하나다.
[09-10]
   백악관은 워싱턴 D.C.에 있다.
   미국의 대통령은 백악관에서 살고 일한다.
   백악관은 하얀색으로 칠해 있다.
   그래서 우리는 그것을 백악관이라고 부른다.
   백악관은 매우 크다.
   백악관은 35개의 화장실과 132개의 방이 있다.
   백악관은 또한 수영장, 볼링장과 도서관을 가지고 있다.
   많은 관광객들이 매일 백악관을 방문한다.

11 우리는 도서관에서 책을 빌릴 수 있다.
   우리는 약국에서 약을 살 수 있다.
   *can + 동사원형
12 (1) 우리는 야구장에서 야구 경기를 볼 수 있다.
   (2) 한국의 수도는 서울이다.
   (3) 아래층에 욕실이 있다.
15 A: 너는 지금 뭐하고 있니?
   *현재진행형으로 질문하면 현재진행형으로 답해야 합니다.

WORD MASTER

01 제과점   02 화장실   03 빌리다
04 수도   05 약국   06 신선한
07 명소   08 도서관   09 약
10 대통령   11 상어   12 경기장
13 관광객   14 동네, 마을   15 수중의

WORKBOOK
Answers

Chapter 1

Unit 01   Animals on the Farm

1 01 friend   02 hungry   03 pond   04 tail
   05 farm   06 sleep

2 01 ③   02 ④

3 01 ©   02 ⓐ   03 ⓑ

4 01 ducks / pond   02 cow   03 Tony / Canada

5 01 소들은 풀을 먹는다.
   02 나는 농장에 있는 모든 동물들을 좋아한다.

해석 및 해설

4 01 연못에는 많은 오리들이 있다.
   02 그 소는 매우 크다.
   03 토니는 캐나다에 산다.

Unit 02   Animals Around the World

1 01 Earth   02 bird   03 neck   04 sharp   05 fly
   06 strong

2 01 ②   02 ②

3 01 ©   02 ⓐ   03 ⓑ

4 01 study   02 drink   03 live   04 like

5 01 호랑이들은 날카로운 이빨들을 가지고 있다.
   02 기린들은 아프리카에 산다.

해석 및 해설

4 01 우리는 영어를 공부한다.
   02 나는 아침에 우유를 마신다.
   03 우리는 한국에 산다.
   04 나는 사과를 좋아한다.

Unit 03   In the Sea

1 01 crab   02 seaweed   03 octopus   04 arm
   05 dolphin   06 starfish

2 01 ⑤   02 ③

3 01 ⓑ   02 ⓐ   03 ©

4 01 on   02 under

5 01 게들은 해초 먹는 것을 좋아한다.
   02 불가사리는 바다 밑바닥에 있다.

해석 및 해설

4 01 사과들이 식탁 위에 있다.
   02 공이 식탁 아래에 있다.

Chapter 2

Unit 01   New Classmates

1 01 invite   02 tall   03 long   04 begin
   05 meet   06 together

2 01 ③   02 ②

3 01 ⓑ   02 ©   03 ⓐ

4 01 am   02 is   03 are   04 are

5 01 짐은 키가 크고 머리가 짧다
   02 나는 새로운 친구들을 만들고 싶다.

해석 및 해설

4 01 나는 선생님이다.
   02 케빈은 체육관에 있다.
   03 우리는 의사들이다.
   04 그들은 나의 부모님이다.

Unit 02   We Are Good Friends

1 01 same   02 read   03 talk   04 different
   05 vegetable   06 watch

2 01 ②   02 ②

3 01 ©   02 ⓑ   03 ⓐ

4 01 are going to   02 is going to
   03 are not going to

5 01 미쉘은 옆집에 산다.
   02 그녀는 만화영화 보는 것을 좋아한다.

My Best Friends

1 01 spend   02 summer   03 friendship
04 hope   05 sometimes   06 help

2 01 ①   02 ②

3 01 ⓑ   02 ⓐ   03 ⓒ

4 01 go shopping   02 go camping
03 go swimming

5 01 나는 톰과 캐시를 나의 생일파티에 초대한다.
02 우리는 함께 공부도 한다.

Chapter 3

Unit 01   **My Favorite Hobby**

1 01 feel   02 story   03 increase   04 author
05 advantage   06 dinner

2 01 ④   02 ②

3 01 ⓑ   02 ⓐ   03 ⓒ

4 01 X   02 an   03 a   04 x   05 an

5 01 그녀는 보통 저녁식사 후에 책을 읽는다.
02 독서는 그녀를 편안하고 침착하게 만든다.

해석 및 해설

4 01 그들은 런던에 산다.
02 너는 지우개를 가지고 있니?
03 저것은 얼룩말이다.
04 나는 데이비드를 좋아한다.
05 이것은 오렌지다.

Unit 02   **Swimming**

1 01 dive   02 now   03 swim   04 high
05 embarrassed   06 very

2 01 ②   02 ②

3 01 ⓑ   02 ⓒ   03 ⓐ

4 01 very   02 well   03 slowly   04 late

5 01 캐빈은 지금 수영장에 있다.
02 그는 일주일에 3일을 수영하러 간다.

Unit 03   **Listening to Music**

1 01 night   02 free   03 always   04 listen
05 student   06 music

2 01 ②   02 ②

3 01 ⓑ   02 ⓒ   03 ⓐ

4 01 always   02 sometimes   03 often

5 01 그녀는 밤에 늦게까지 음악을 듣는다.
02 그녀는 한가할 때 음악을 듣는다.

Chapter 4

Unit 01   **Kinds of Jobs**

1 01 busy   02 brave   03 teach   04 nurse
05 history   06 patient

2 01 ③   02 ④

3 01 ⓑ   02 ⓒ   03 ⓐ

4 01 He   02 They   03 We   04 She

5 01 그는 고등학교에서 역사를 가르친다.
02 그녀는 환자들을 돌본다.

해석 및 해설

4 01 나의 남동생은 방에 있다. 그는 책을 읽고 있다.
02 나의 친구들은 체육관에 있다. 그들은 농구를 하고 있다.
03 톰과 나는 배가 고프다. 우리는 음식을 좀 원한다.
04 나의 엄마는 선생님이다. 그녀는 영어를 가르친다.

Unit 02   **Firefighters**

1 01 clothes   02 building   03 rescue
04 important   05 danger   06 special

2 01 ③   02 ④

3 01 ⓐ   02 ⓒ   03 ⓑ

4 01 him   02 them   03 him   04 it

5 01 소방관들은 특별한 옷을 입는다.
02 그들은 우리 삶에서 중요한 역할을 한다.

4 01 케빈은 나의 남동생이다. 나는 그를 사랑한다.

02 톰과 캐시는 나의 친구들이다. 나는 그들을 사랑한다.

03 브라운 씨는 역사 선생님이다. 우리는 그를 좋아한다.

04 그 영화는 재미있다. 나는 그것을 또 보고 싶다.

My Part Time Job

1 01 easy　02 job　03 summer　04 eye
05 lawn　06 save

2 01 ②　02 ②

3 01 ⓑ　02 ⓒ　03 ⓐ

4 01 His　02 my　03 her　04 his

5 01 나는 새 컴퓨터를 사기 위해 돈을 모으고 있다.

02 잔디 깎는 일은 쉽지 않지만 나는 그것을 좋아한다.

Chapter 5

My Family

1 01 banker　02 soldier　03 eleven　04 attend
05 slim　06 grade

2 01 ③　02 ①

3 01 ⓑ　02 ⓒ　03 ⓐ

4 01 are　02 a ball　03 are　04 books

5 01 나의 누나는 고등학교에 다닌다.

02 나의 엄마는 키가 작고 날씬하다.

해석 및 해설

4 01 식탁 위에 숟가락들이 있다.

02 상자 안에 공이 있다.

03 교실에 5명의 소년들이 있다.

04 가방 안에 책들이 조금 있다.

My Brother

1 01 handsome　02 homework　03 parents
04 share　05 sometimes　06 baseball

2 01 ④　02 ②

3 01 ⓒ　02 ⓑ　03 ⓐ

4 01 first　02 three　03 sixth　04 nine / ninth

5 01 우리는 같은 초등학교에 다닌다.

02 나의 형이 나의 숙제를 도와준다.

My Grandmother

1 01 hobby　02 thin　03 healthy　04 glasses
05 funny　06 tell

2 01 ②　02 ③

3 01 ⓐ　02 ⓒ　03 ⓑ

4 01 go　02 plays　03 have　04 listens

5 01 그녀는 책을 읽을 때 안경을 쓴다.

02 그녀의 취미는 정원일과 새 관찰이다.

해석 및 해설

4 01 우리는 매일 공원에 간다.

02 그는 방과 후에 축구를 한다.

03 나는 새 컴퓨터를 가지고 있다.

04 샘은 라디오로 음악을 듣는다.

Chapter 6

Aquarium

1 01 woman　02 visit　03 feed　04 aquarium
05 tunnel　06 shark

2 01 ④　02 ③

3 01 ⓑ　02 ⓐ　03 ⓒ

4 01 studying　02 singing　03 eating

5 01 우리는 아쿠아리움에서 펭귄들도 볼 수 있다.

02 탱크 안에는 작은 상어들이 있다.

해석 및 해설

4 01 우리는 지금 수학을 공부하고 있다.

02 그녀는 방에서 노래를 부르고 있다.

03 그들은 점심식사로 쌀국수를 먹고 있다.

My Town

1 01 borrow　02 bakery　03 library　04 watch
　05 gas station　06 medicine

2 01 ⑤　02 ②

3 01 ⓒ　02 ⓑ　03 ⓐ

4 01 can　02 can't　03 run　04 play

5 01 우리는 약국에서 약을 살 수 있다.
　02 나의 동네는 작지만 나는 여기서 사는 것이 무척 좋다.

Unit 03 **The White House**

1 01 call　02 capital　03 big　04 bathroom
　05 tourist　06 president

2 01 ②　02 ③

3 01 ⓑ　02 ⓒ　03 ⓐ

4 01 the　02 The　03 a / The　04 The

5 01 워싱턴 D.C.는 미국의 수도다.
　02 백악관은 하얀색으로 칠해 있다.

해석 및 해설

4 01 달을 보아라.
　02 나는 컴퓨터가 있다. 그 컴퓨터는 오래되었다.
　03 나는 개가 있다. 그 개는 검정색이다.
　04 그녀는 사과가 좀 있다. 그 사과들은 신선하다.